Mer agitée
à très agitée

Du même auteur

Un jardin extraordinaire, JC Lattès, 2012
Dos à dos, JC Lattès, 2011 ; J'ai Lu, 2012
À la recherche d'Alice, Denoël, 2009
Les Aquariums lumineux, Denoël, 2008

Sophie
BASSIGNAC

Mer agitée à très agitée

ROMAN

Pour Pierre Ganter

1

Adossés à la rampe du premier étage, Maryline et William Halloway regardaient leur fille unique, Georgia, écumer de rage en secouant son épaisse chevelure. Elle rappelait à William la Janis Joplin de la fin, la souillon grasse et magnifique qui hurlait dans des aigus stridents son désespoir définitif. En toile de fond, la déchetterie qui servait de chambre à Georgia s'additionnait au chaos ambiant. Maryline et William venaient de se faire traiter de tortionnaires et, le regard neutre, arboraient malgré les insultes un calme de parents. William soupirait en auscultant le plafond et Maryline, bras croisés, refaisait mentalement sa liste de courses tout en vérifiant l'état du ciel par le Velux du couloir.

Quelques minutes plus tôt, Georgia avait été priée d'écouter sa musique au casque pour ne pas déranger les occupants des chambres d'hôtes installés à l'étage au-dessus. Elle avait longtemps obtempéré sans broncher mais depuis quelques mois, transformée d'un coup en adolescente théâtrale, elle s'était mise à tout négocier, aussi vindicative et procédurière qu'un condamné par erreur. Les quolibets, crises de nerfs et balles traçantes qu'ils subissaient presque quotidiennement commençaient à miner le moral de Maryline qui n'était d'ailleurs pas très à l'aise sur le sujet du jour et comprenait sans le dire les récriminations de sa fille.

Depuis que Maryline avait transformé la maison familiale en maison d'hôtes, cinq ans plus tôt, Georgia avait supporté avec un flegme admirable le défilé des clients imposé par ses parents pendant les mois d'été. Elle avait accepté que des enfants de passage jouent sans elle dans son jardin, qu'ils utilisent sa table de ping-pong ou perdent les pièces de ses jeux de société en les emportant en fraude sur la plage. Les adultes étaient un autre enfer. Georgia avait souri gentiment à ces visages interchangeables et mielleux qui la tripotaient en s'extasiant. Les mêmes occupaient bruyamment sa salle à manger chaque matin alors qu'elle prenait son petit déjeuner en silence dans la cuisine. À touche-touche dans le couloir, Maryline et William entendaient pour la énième fois la liste des plats réchauffés de Georgia sur son enfance martyre. Défilèrent comme de vieilles connaissances le « petit con de Parisien » qui lui crachait dessus, le couple en pleine rupture dont le venin traversait les étages et « le vieux dégueulasse » qui l'avait harcelée deux ans plus tôt. Maryline se dit que c'était peut-être ce manque d'intimité qui avait poussé sa fille à faire de sa chambre un terrain vague impraticable où on marchait sur des monticules de vêtements, de slips, de soutiens-gorge en forme de vasques amidonnées et de chaussures farcies de chaussettes en boule. Une exécrable odeur de fille de seize ans planait dans la pièce jamais aérée et finissait par vous faire fuir avant d'avoir atteint la fenêtre. Maryline prit le risque de regarder discrètement sa montre. L'heure tournait et elle devait aller en ville avant le retour de ses hôtes belges.

Plantée sur le pas de la porte, Georgia continuait à ergoter en agitant sa frange cache-boutons. Maryline se dit que sa fille partageait avec son père le même goût pour les mots et s'en gargarisait jusqu'au tournis, grisée par son propre tempo. Alors qu'elle embrayait sur l'autre sujet chaud, sa « bande partie à Barcelone sans elle », Maryline regardait, fascinée, les seins de Georgia qui tressautaient sous son tee-shirt au rythme de son énervement. Cette poitrine de Walkyrie n'avait pas de précédent dans la famille. On n'avait jamais vu ça, ni du côté Lefloch ni du côté Halloway. L'hiver précédent, Georgia avait commencé à pratiquer sur elle-même les expériences vestimentaires qu'elle avait jusque-là réservées à ses Barbies. On la vit alors se maquiller en professionnelle et s'habiller en fille mince. À son regard fixe lorsqu'elle descendait l'escalier chaque matin, boudinée dans ses fringues comme une momie dans ses bandelettes, William et Maryline avaient vite compris qu'il serait désormais de mise de trouver tout normal. Pourtant, il fallait se rendre à l'évidence. Avec ses vêtements trop petits exprès, son toucher d'haltérophile et l'emplâtre blanchâtre qui couvrait sa peau gondolée d'acné, Georgia avait l'air d'un gros petit pot. Maryline avait toutefois confiance en l'avenir. L'adolescence, disait-elle, était un cap, un mauvais dosage et on s'en remettrait. La voix de William la tira de ses réflexions.

— Stop ! dit-il, profil fileté, concentré sur le bout vernis de ses boots.

— Et pourquoi stop ? Je peux savoir ?

L'arrogance de Georgia était à son maximum, dernier stade avant la crise de nerfs.

— Parce que tu nous prends pour des cons ! Il n'y a aucune raison que tu ailles à Barcelone alors que moi, j'irais bien à Barcelone et que je n'y vais pas parce que les Belges sont là et que la maison va être pleine tout l'été. Hear it, honey ? Et je te rappelle que tu es en stage au syndicat d'initiative.

— Pauvres nazes ! hurla-t-elle. Et toi tu n'es qu'un béni-oui-oui !

Les yeux mouillés, elle leur claqua violemment la porte au nez. William et Maryline échangèrent un regard las. William s'approcha de la porte, mit ses mains en porte-voix.

— Stand clear of the closing doors ! cria-t-il, en imitant la voix off, grave et shakespearienne du métro de New York.

— Marrez-vous ! Je vais me casser et c'est tout ce que vous aurez gagné !

Alors que Georgia passait sa rage en donnant de grands coups de pied dans la porte, William s'effaça pour laisser Maryline s'engager devant lui dans l'escalier.

— Béni-oui-oui ? Is that what she said ? Ça veut dire quoi ?

— Ça veut dire que tu fais tout ce qu'on te demande.

Sans commentaires, il retourna à son studio et Maryline partit en quête de son sac.

Maryline pédalait au soleil, le nez en l'air. Un avion à queue blanche coupait en deux le ciel sans nuages. À l'entrée de la station balnéaire, elle croisa à la hauteur du restaurant de poisson une poignante odeur de beurre d'ail, vieillotte et émouvante. Elle éclata de rire en repensant au béni-oui-oui de Georgia qui sonnait comme un bibelot en bon état sorti d'une vieille malle. Puis elle s'arrêta à la boulangerie où elle aperçut Annick, sa femme de ménage, qui se faufilait, filandreuse et tête baissée, entre les clients du magasin. Maryline connaissait la musique. Quand Annick prenait la tangente, c'était le signe qu'elle planquait un œil au beurre noir, une joue violette ou une claudication suspecte. Maryline avait plusieurs fois voulu porter plainte contre le mari violent d'Annick mais celle-ci avait menacé de la laisser tomber en pleine saison touristique, l'obligeant ainsi à céder au chantage. Elle attacha son panier de courses au porte-bagages et remonta sur son vélo.

En longeant la côte sauvage, elle vit que son banc de pierre sur le sentier des douaniers était libre et en profita pour s'y poser. Elle releva sa jupe jusqu'à mi-cuisse, allongea les jambes et inspira longuement l'air marin. Au large, les voiliers, minuscules pliages blancs, semblaient se suivre dans une course lente. Le soleil piquait ses étoiles dans l'eau et le bruit infernal du ressac lui tournait la tête comme un envoûtement consenti. Propriétaires du ciel, les mouettes planaient au-dessus des rochers et lançaient leur méchant rire de démentes. Maryline aperçut Erwan Rival, le fils de son voisin, dans la crique en contrebas. Au milieu des baigneurs, radio stridente, il se faisait remarquer en gesticulant. Maryline avait toujours vu dans la station de ces êtres fragiles qui s'exhibaient, attirés par les étrangers. Ils parlaient fort, dos au panorama, faisaient le Jacques pour les estivants, c'était leur moment de l'année. La saison terminée, ils erraient dans la ville en quête de regards neufs. Gênée pour lui, elle détourna la tête.

Du banc de pierre et un peu plus loin sur sa gauche, Maryline pouvait voir son manoir en granit sévère, bombé comme un torse, merveilleux chien de garde qui la protégeait des embruns et des curieux. Ker Annette était un bel exemple de la fantaisie des bâtisseurs du siècle précédent qui avaient produit un grand nombre de folies architecturales inédites dans la région. Le long de la côte et dans le bourg de la station, bunkers landais, chalets basques, châteaux de contes de fée, villas californiennes, façades tyroliennes, maisons d'Obélix à toits de chaume et palais florentins se côtoyaient sans se gêner. Toutes les villas avaient de l'allure en dépit des fautes de goût, des crépis crème au beurre balancés à grands coups de moulinette par des mal élevés, des villas Ker Imper rebaptisées Bellagio, des villas Nemesis devenues Black Swan. Dans la catégorie manoir moyenâgeux, la maison de Maryline était sans conteste la plus belle de toute la côte.

Elle aperçut la silhouette frêle de Miss Merriman qui remontait l'allée. Depuis que Maryline avait ouvert ses chambres d'hôtes, cette petite Bostonienne pur-sang, lointaine cousine de William du côté Halloway, revenait chaque été et restait un bon mois. Maryline s'était vite attachée à cette vieille jeune fille, à ses bijoux ethniques, ses problèmes de bouche et ses yeux toujours rouges, qui retrouvait dans la maison de Bretagne le double rassurant de son mobilier de Nouvelle-Angleterre.

Côté mer, les Belges rentrés de la plage faisaient sécher leurs draps de bain sur le balcon de leur chambre. La femme apparut sur la terrasse, tapota les serviettes et s'allongea sur un transat. Maryline ne pouvait pas donner tort à Georgia, ces deux-là étaient deux magnifiques spécimens d'emmerdeurs. De son poste d'observation, elle vit l'homme rejoindre sa femme sur la terrasse et tapoter à son tour la serviette de bain, en inspecteur des travaux finis. Maryline avait du mal à supporter ce genre de type qui suintait la douleur. Dès qu'il croisait quelqu'un dans la maison, ce contrarié de nature toussotait une mouche imaginaire qui, coincée dans sa gorge, frottait frénétiquement ses pattes contre son larynx. Sa femme était blanche et « sèche comme une seiche », disait William, le genre à trouver que la mer faisait trop de bruit et les horaires des marées peu compatibles avec ses heures de repas. Ces deux-là s'entre-tuaient d'angoisse, c'était un spectacle affreux à voir.

Lorsqu'elle devait supporter ce genre d'énergumènes, Maryline se posait des questions sur le bien-fondé de son activité. C'était une femme sans orgueil mais elle avait toujours eu du mal avec l'autorité. Seule héritière de la villa Ker Annette après la mort de son père, elle avait passé quelques années à la retaper et à poser les fondations d'une nouvelle vie en créant une frontière indélébile entre avant et après et « sûrement pas pour me faire emmerder », disait-elle.

Maryline sentit passer sur elle le regard insistant d'une famille d'estivants qui remontait de la plage. Elle détourna la tête, dérangée dans ses réflexions par leur curiosité. À quarante-deux ans, Maryline dégageait encore un mystère agaçant et une beauté tenace. Grande et mince, les hanches un peu larges comme les aimaient les hommes, elle arborait un air de ne pas y toucher qui attirait l'attention à tous les coups. Vraie blonde aux yeux bleus, elle avait hérité de sa mère une silhouette impeccable et des pommettes hautes. Son père lui avait légué sa part la plus féminine, une petite bouche élastique et quelques taches de rousseur, parfaitement réparties autour de son nez et sur son front. Jamais maquillée, elle était la même tous les jours et du matin au soir. Le temps la gâtait. Il la faisait vieillir si lentement qu'il était presque impossible de remarquer qu'elle changeait. Les estivants qui la croisaient dans la station se demandaient de quoi elle était souveraine mais elle l'était sans aucun doute. On lançait des paris sur ses origines forcément étrangères. Rêveuse, elle faisait rêver quand, indifférente, elle vaquait à ses occupations. À chaque pas, lente et fraîche, elle semblait traverser quelque chose, des voiles ou un vent léger qui ne soufflait que pour elle.

Elle aperçut au loin Georgia sortir en trombe de la maison et enfourcher son vélo. Le champ était libre, elle pouvait rentrer.

À peine arrivée dans le jardin, le Belge lui sauta à la gorge, plus petit qu'elle et cramoisi. Maryline le toisa, prit un air préoccupé de circonstance. Le type attaqua direct.

— Quelqu'un est venu dans notre chambre en notre absence, lança-t-il, postillons en tir nourri et voix de fausset désagréable. Écoutez, je ne vais pas y aller par quatre chemins, ma femme ne retrouve plus sa bague.

— Et qu'en déduisez-vous ? demanda Maryline en filant vers le perron, suivie de près par Verchueren en pétard.

Un peu décontenancé, il ne s'attendait pas à l'aplomb de Maryline. Il eut un temps d'arrêt au seuil de la cuisine.

— La bague de mon épouse se trouvait dans un petit coffret, dans le tiroir de la table de nuit. Elle ne l'a portée qu'hier midi lorsque nous sommes allés au restaurant et elle se souvient très bien de l'avoir rangée en rentrant.

Maryline avait remarqué au doigt de la Verchueren la grosse bague Art déco qu'elle faisait voleter à son annulaire en parlant, pour y accrocher la lumière et l'admiration.

— Et quelle est votre théorie ?

Elle ne se démontait pas mais évitait de croiser le regard du belligérant.

— Vous êtes sûre de votre personnel ? siffla l'homme.

— Absolument, répondit-elle du tac au tac.

Verchueren était sur le pas de la porte et cherchait son air, pieds joints cimentés au carrelage.

— Cette maison est un vrai moulin, reprit-il. Et vous faites de la publicité mensongère sur vos prestations !

Nous y voilà, pensa Maryline, qui, depuis le temps, était rodée. Le site Internet des Halloway, mise en page élégantissime et photos splendides des chambres avec vue, ne laissait aucune place à l'excentricité. De fait, on découvrait sur le tas que le B&B de la petite station balnéaire était tenu par une ancienne top model internationale et une ex-star du rock. Mais Maryline, en toute mauvaise foi, exigeait des clients qu'ils jouent le jeu du « tout est parfaitement normal et rien ne me surprend », ce qui était assez gonflé de la part de quelqu'un qui vous accueillait en majesté, suffocante de beauté sur le pas de sa porte. Quant à William, Ray Ban Silver Mirror, boots Saint Laurent vernis noir, il vous tendait une main soignée et baguée tête de mort qu'il fallait serrer avec une indifférence de bon aloi. Verchueren faisait partie des indécrottables que la vue même des Halloway rendait malades. Maryline refusait d'admettre que l'effet de surprise qu'elle imposait à ses visiteurs avait raison de certaines sensibilités.

Elle soupira.

— Et que comptez-vous faire, monsieur ? reprit-elle.

Adossée au Frigidaire, elle le regardait maintenant dans les yeux, affichant une arrogance qui décuplait le martyre de Verchueren.

— La bague de ma femme doit avoir réapparu avant notre départ demain midi. Dans le cas contraire, j'irai porter plainte.

Maryline avait compris très tôt que le soupçon de vol était un classique chez les médiocres. Le petit personnel était là pour porter le chapeau. Le soupçon de saleté était leur second couteau. C'étaient là leurs armes de prédilection, les seules qu'ils connaissaient pour contrer la fantaisie lorsqu'ils la rencontraient. La bonne femme avait dû aller à la plage avec sa bague et la perdre dans le sable, pensa Maryline. Ces écervelés faisaient le bonheur des finauds qui, le soir venu, arpentaient les plages avec leurs détecteurs de métaux à la recherche des bijoux de famille et de l'argent tombé des poches.

Maryline ne promit rien. Il était impossible de lui tenir tête longtemps quand, les yeux plissés et les bras croisés, elle arborait ce sourire en demi-teinte, d'une folle ambiguïté. Face à cette vestale aussi belle qu'impressionnante, Verchueren battit en retraite. Il remonta dans sa chambre la queue entre les jambes, colère en suspens avec un cuisant sentiment d'inachevé.

— Je sors, annonça William en passant dans le couloir.

Tous les vendredis, été comme hiver, William retrouvait ses acolytes pour jouer au poker, lancer quelques jetons sur les tapis du casino et faire le plein d'expressions toutes faites. Le noyau dur était un trio auquel s'agrégeaient selon les circonstances d'autres figures locales et parfois des touristes. Il y avait Étienne Legouic, alias Flag, sbire enchaîné à William comme à un dieu vivant. Maryline le tolérait plus qu'elle ne l'appréciait mais elle prenait sur elle car le pauvre type en avait, rappelait régulièrement William, « gros sur la patate ». Rescapé d'un passé de surdoué, Flag avait été pris d'une crise de démence pendant l'oral de physique du concours de Polytechnique, quinze ans plus tôt. Aux urgences de l'hôpital, passé sous-doué en quelques heures, il avait expliqué avoir été ensorcelé. William avait croisé le chemin d'Étienne Legouic en pleine cure de désenvoûtement. Devant un demi de bière, la star était alors devenue à la fois et à vie sa plaie suppurante et son mercurochrome.

L'autre larron était un certain Édouard Herr dont Maryline ne savait pas grand-chose hormis que l'antiquaire chic avait pignon sur rue derrière le casino, dans le triangle d'or où venaient se fournir les nantis nantais en cachemire rose. William l'évoquait parfois et il semblait alors à Maryline que ce type comptait beaucoup pour lui. Sans raison apparente, son sixième sens la mettait en émoi dès que le nom de Herr était prononcé, une vieille habitude d'épouse d'un guitar hero naïf et sentimental qui ne voyait jamais le mal nulle part.

Maryline raconta à William l'altercation avec Verchueren.

— C'est emmerdant, dit-elle.

— Forget it ! lança-t-il en se regardant dans le miroir au-dessus de la cheminée du salon.

L'orgueilleuse coquetterie de William était un autoportrait souriant. Il posa le pied sur l'accoudoir d'un fauteuil. *These boots are made for walking* *, chantonna-t-il en astiquant avec la manche de sa veste ses bottines Annelo et Davide bichonnées d'époque.

Maryline, songeuse, le regarda descendre l'allée, royal dans le plus pur style Monterey 69, silhouette déliée de milord en goguette, jouant de sa guitare imaginaire, sa préférée dont il n'avait jamais besoin de changer les cordes. Il dodelina jusqu'à son Austin Healey vert sapin qu'il démarra capote découverte. William le dandy, star à vie, qui ne pouvait en aucun cas être vu à pied, à vélo et encore moins dans une de ces voitures récentes et grises, se déplaçait exclusivement, appendice indispensable à son statut particulier, dans son anglaise de collection.

Maryline tapota quelques coussins avant de s'installer sur le canapé du salon, carnet en main pour noter le « à faire » et barrer le « fait ». L'histoire de la bague aidant, le sentiment de malaise qu'elle éprouvait tous les vendredis prit ce soir-là des proportions considérables. Elle avait toujours eu peur pour William, à juste titre, se défendait-elle, car elle avait failli le perdre plusieurs fois et elle considérait que même la petite station balnéaire n'était pas sûre à cent pour cent.

Dix ans plus tôt, alors qu'elle venait d'hériter de Ker Annette, elle avait réussi à lui faire quitter New York et l'avait transplanté, c'était une vraie folie, dans cette Bretagne où il n'avait jamais mis les pieds. À l'époque, il ne connaissait de la France que l'accent de Maryline, le Privilège, l'Élysée-Montmartre et deux ou trois palaces où son groupe avait laissé d'assez mauvais souvenirs. Contre toute attente et à quarante-cinq ans, William avait trouvé aux marais salants un charme extraterrestre et s'était pris d'amour pour la kitscherie architecturale de la maison moyen-âgeuse des Lefloch. Il connaissait désormais à peu près tout le monde dans la station qui, disait-il, lui rappelait Cape Cod où il avait grandi. Coupé brutalement d'une vie rêvée et dangereuse à New York, il avait reconstitué son studio à l'identique, dans une petite dépendance sous les grands arbres du jardin.

William Halloway avait été une star adulée dont on avait commenté la défection brutale jusqu'à l'usure. Les autres membres du groupe new-yorkais, blousés, amers et privés de leur guitariste charismatique avaient alors surnommé Maryline « the French Yoko », l'accusant de grossir la triste lignée des filles à rockers qui prenaient sans tarder le pouvoir. Ils avaient continué sans lui, avant d'abandonner à leur tour et de disparaître.

Maryline et William n'avaient pas donné suite aux rumeurs et s'étaient installés sans explications dans la maison de Bretagne. Les journalistes avaient déboulé, les paparazzis mal planqués dans le patelin avaient fait des clichés mémorables du couple Halloway dans leur anglaise décapotée, gamine échevelée à l'arrière. Puis la mauvaise saison avait fait détaler les curieux. Dix ans plus tard, certains le croyaient mort, d'autres collectionnaient comme des reliques les enregistrements pirates de ses concerts et quelques optimistes croyaient encore à la reformation du groupe. William, quant à lui, avait mis un point d'honneur à apprendre sérieusement le français qu'il enrichissait jour après jour d'expressions locales très pointues. En échange, on avait accepté son « allure de pédé », sa voiture de frimeur et son allergie aux fruits de mer. Il n'avait pas eu d'effort à faire pour « desserrer le gilet », disait-il, avec les fêtards du coin.

Mais la greffe n'avait pas pris du jour au lendemain car William était arrivé en Bretagne aussi cinglé qu'un rat de laboratoire. Rongé par l'héroïne et malgré sa volonté d'en sortir, il semblait alors plus près de mourir sans sa shooteuse qu'avec. Pilotée à distance, Maryline appelait la nuit son médecin new-yorkais, le plus souvent en larmes et terriblement inquiète. Elle avait refusé de demander de l'aide aux médecins locaux, craignant les rumeurs qui auraient fatalement bavé sur l'état de William.

Ainsi, pendant des semaines dans la vieille maison humide qui sentait encore la dernière maladie de son père, Maryline avait supporté l'infernal huis clos, les hurlements de fou de William en manque, mêlés aux airs discordants des dizaines de pins immenses penchés par le vent dans le jardin, les courses dans la nuit pour le récupérer vacillant au bord des falaises juste avant qu'il ne saute et le délire, les vomissements, les insultes et la bave, avec en toile de fond, plus triste que le tocsin, la pluie, la pluie, la pluie. Maryline avait tenu bon, William aussi et Georgia à sa façon qui, petite fille à l'époque et concentrée sur ses poupées miniatures, avait tout oublié de cette sale affaire.

Un matin de juin, William était entré dans la cuisine, avait serré Maryline dans ses bras. Il lui avait murmuré doucement, « it's over now, c'est fini » et de fait, il n'avait jamais retouché à l'héroïne.

Maryline dîna seule, puis partagea sa tisanière avec Rebecca Merriman qui, à la tombée du jour, avait des mélancolies de nouveau-né. Elle venait aussi se plaindre de la soudaine froideur des Verchueren à son égard.

— Ces gens ne sont pas très éduqués, dit-elle, en parlant du nez comme un canard.

L'Américaine voulait parler français en France mais elle n'avait pas le don des langues de son cousin William. C'était agaçant et inutile car tout le monde dans la maison comprenait l'anglais. Ainsi, il fallait patiemment l'écouter chercher ses mots et attendre comme avec un bègue que la phrase se fasse.

Maryline lui raconta l'incident de la bague. Miss Merriman posa machinalement la main sur son bracelet de turquoise. Maryline s'en voulut d'avoir inquiété la vieille dame qu'elle trouvait ce soir-là plus fragile que jamais. Elle lui sourit, la regarda verser sa camomille avec une précision de dame de compagnie. Cette petite chose amaigrie par une discipline socialement inflexible était un pur produit de la Nouvelle-Angleterre. Elle aurait fait un merveilleux chaperon dans une nouvelle de Henry James, pensait Maryline, une vieille fille intelligente et effacée dans le rôle de la narratrice d'une histoire d'amour aux ressorts très tordus. L'Américaine s'épuisait en marches rapides sur la plage dès six heures du matin, herborisait sur le chemin des douaniers et se nourrissait de barquettes de framboises qu'elle mangeait en souris dans son lit. Rebecca Merriman avait fait de sa vie un Éden de petites choses, émerveillée du matin au soir par des sensations folles qui faisaient frissonner sa fragile ossature. Elle les accueillait comme des cadeaux de valeur qu'elle notait en notaire dans de petits calepins noirs à élastique qui ne quittaient pas ses poches. Maryline la voyait parfois sourire en connivence à de vieilles Nantaises en qui elle se retrouvait. Perles aux oreilles, cheveux vraiment blancs et teint de jeune fille, l'internationale des vieux était toute en nuances.

Miss Merriman avait apporté son herbier et son dictionnaire. Elle sortit un stylo figurant un homme en slip qui se dénudait quand on le penchait et qu'on trouvait en vente au tabac du port. Maryline lui traduisit ses trouvailles du jour, dont l'immortelle des dunes à fleurs jaunes qui sentait très fort le curry. La vieille Américaine ne s'attarda pas et remonta dans sa chambre après avoir pour la énième fois de son séjour remercié son hôtesse de son hospitalité.

Georgia rentra quelques minutes plus tard.

— Virez-moi tous ces touristes ! Je peux plus les voir ! Pousse-toi ! dit-elle en s'affalant au plus près de sa mère.

Maryline nota que la paix avait été signée en son absence, comme toujours avec Georgia. L'adolescente sortit de sa poche un paquet de cigarettes. Quand elle s'était aperçue qu'elle fumait, Maryline avait pensé avec tristesse aux poumons roses de sa fille unique puis elle l'avait vue en l'espace de quelques semaines mettre du déodorant à l'aluminium, boire du café et faire du scooter derrière des garçons qui se croyaient à cheval. Elle avait alors compris qu'elle n'était plus qu'une spectatrice privilégiée dans l'existence de Georgia. Collée contre sa mère, l'adolescente alluma sa blonde et balança sa fumée au plafond, rêveuse comme une salariée en pause. Georgia avait décroché un petit boulot au syndicat d'initiative pour toute la saison estivale, « à défaut de Barcelone », rappelait-elle régulièrement, d'un ton amer. Elle raconta sa soirée « de dingue » à Maryline qui peignait le tableau pour elle-même à mesure que Georgia se mettait en scène. Avec trois autres stagiaires, elles avaient mis la dernière main au « 24 heures de la bille » qui démarrait le lendemain, temps fort de la saison depuis plusieurs étés. « Véritable défi à l'imagination et à la technicité » selon la presse locale qui en faisait des tonnes, le circuit fabriqué par des sculpteurs sur sable, « deux nazes de Rennes qui avaient le melon », précisa Georgia, présentait cette année un certain nombre de virages relevés sans rebords, particulièrement difficiles pour les joueurs. Reine Personnic, la responsable du syndicat d'initiative, misait gros sur l'événement qui, cette année, croulait sous les inscriptions.

Maryline avait été au lycée avec Reine Personnic. Depuis son retour des États-Unis, elle la croisait de temps en temps dans la station mais les deux femmes faisaient semblant de ne pas se connaître. Maryline se demanda laquelle des deux avait commencé d'ignorer l'autre et pourquoi. Elle avait gardé de la lycéenne le souvenir d'une blonde menue déjà meneuse et stressée mais très sympathique.

— Et demain ? demanda Maryline.

Elle tendit à Georgia un cendrier moulé fête des pères. L'adolescente fit semblant de réfléchir, soupira.

— Demain on communique sur les méduses. Les méduses sont de retour, cria-t-elle, les mains en porte-voix. Maryline mit un doigt sur sa bouche, les yeux levés en direction des chambres. Ensuite, reprit Georgia, on va installer l'exposition sur le monde mystérieux des algues à la grande halle. Il y a une dégustation à partir de 15 heures, si ça te dit.

Georgia bâilla, attrapa l'outre molle qui lui faisait office de sac à main, en sortit une grosse pile de prospectus qu'elle tendit à Maryline. Il y avait là de quoi occuper les jours de pluie qu'on prévoyait pour la fin de la semaine. Tout le monde y mettait du sien pour occuper les estivants dans la station en perte de vitesse. La société de chasse organisait son vide-greniers sur le parking du supermarché, la parade nautique des vieux gréements était annoncée pour le week-end. Bourse aux cartes postales, fête du four à pain, fest-noz, opérations bol de riz, soirée country à la salle des fêtes, il y en avait pour tous les goûts, Reine Personnic avait mouillé son maillot. Il fallait bien ça, pensait Maryline, dans ce patelin breton où il pouvait pleuvoir sur trois maisons mais pas sur la suivante, où tout le ciel n'était pas d'accord en même temps. Elle classa les prospectus puis les posa en piles sur la console de l'entrée. Georgia s'étira, annonça qu'elle allait « se pieuter ».

Restée seule dans le salon, Maryline sentit la fatigue s'abattre sur elle. Elle connaissait par cœur cette langueur qui la prenait quand elle était dépassée. Alors, le corps paralysé dans un tube de colle forte, lever le petit doigt devenait pour elle un exploit.

Georgia traîna en bas des escaliers, affûtée comme un détective dès que les humeurs de sa mère n'étaient pas nettes.

— Où est papa ? demanda-t-elle en passant sur ses lèvres et pour la trentième fois de la journée une épaisse couche nacrée de lipstick gluant.

— Chez Herr, je suppose, soupira Maryline.

Elle se leva, éteignit les dix lampes du salon puis suivit sa fille dans l'escalier.

William réveilla Maryline en entrant dans la chambre. Il tanguait dans le noir. Ivre mort, nota-t-elle. Le réveil affichait trois heures dix.

Instable sur un pied, il sautilla en roulant le long de ses cuisses son fuseau moulant avant de s'écrouler sur la moquette.

— Shit ! cria-t-il hilare en rampant jusqu'au lit.

— Ferme-la, William ! murmura Maryline. Il s'approcha d'elle pour l'embrasser. Tu pues le whisky, dit-elle en le repoussant gentiment.

— Oh ! Oui ! susurra-t-il en se collant à Maryline, je me sens inflammable. Craque ton allumette ma belle, je suis à toi !

Cette fois, elle le jeta sans ménagement. Il n'insista pas.

William ferma les yeux. Maryline attendit un moment qu'il se calme puis se rapprocha doucement de lui. Il semblait ricaner bêtement d'une joke quelconque échangée avec un Flag aussi imbibé que lui. Ensemble, ces deux-là semblaient générer une connerie particulière, résultat d'une chimie fine qui leur appartenait en propre. Elle ne put s'empêcher de sourire. William était inaltérable sur son oreiller immaculé.

— You know what ? dit-il, songeur, en remontant la couette sur son torse nu. Ça fait trente ans que je me demande si les Beach Boys, c'est just a load of crap[1] or not.

Il rit et son haleine chargea la chambre. Puis il caressa longuement le dos de Maryline en chantonnant doucement.

Went to a party
I danced all night
I drank sixteen beers
And I started up a fight
Too drunk to fuck
*Too drunk to fuck...**

1. « Juste un groupe de merde. »

2

Maryline eut un mouvement de recul en voyant Miss Merriman entrer dans la cuisine, échevelée et l'air azimuté, son podomètre pendouillant à l'avant-bras.

— Il y a un…

Elle s'interrompit pour reprendre son souffle. Son regard affichait une terreur absolue.

— Say it in English, please ! lui demanda Maryline avec impatience, tout à coup très inquiète.

Miss Merriman lui cracha le morceau entre deux halètements. Une femme sur la plage… Dans la petite crique, devant la maison, balbutia la vieille dame dans sa langue. On dirait qu'elle est morte.

Maryline posa doucement la cafetière sur la table, prit sa veste dans l'entrée et fila à la plage, laissant l'Américaine avec Annick qui venait d'arriver. Elle descendit l'escalier de pierre creusé dans les rochers en regardant ses pieds pour ne pas trébucher. Un petit espace plein d'espoir dans un coin de sa tête lui faisait miroiter l'éventualité d'un mirage sorti du vieux cerveau de Miss Merriman. La crique sentait fort l'humidité des pierres froides et la marée basse. La vieille Américaine avait vu juste. Quelqu'un était étendu sur le sable. Maryline s'approcha doucement du corps bizarrement recroquevillé en chien de fusil, dormeur à qui il manquait sa moitié puis s'agenouilla pour le regarder de plus près. C'était celui d'une jeune femme que la mer avait rejetée à ses pieds, comme le chat nous offre sa souris morte. Elle portait une robe longue remontée jusqu'aux genoux et entortillée autour de son corps, une de ces fausses frusques hippies, copiées de la grande époque. Son bras gauche, recouvert de l'épaule au poignet d'un tatouage bleu que Maryline avait pris de loin pour une algue, ressemblait de près à la manche d'un pull jacquard. Elle s'approcha du visage gonflé et bleuté de la fille. Ses yeux étaient fermés et une fine mèche collée en point d'interrogation balafrait sa joue. Maryline enfonça doucement son pouce dans le bras de la femme espérant une réaction malgré toutes les apparences de la mort. Assise dans le sable glacé près du corps inerte, elle resta un moment à regarder la mer qui commençait à remonter en petites vagues frisantes. Le ciel était déjà clair mais l'air nettoyé du petit matin était souvent une promesse qui ne tenait pas longtemps au bord de cette mer-là. Elle sentait à côté d'elle la présence tenace du cadavre, se dit que cette fille ne vivrait pas cette journée ni aucune autre désormais. Elle s'approcha de nouveau du visage de la morte, passa un doigt sous son nez à la recherche d'une respiration, comme elle le faisait avec Georgia bébé pour se rassurer.

En apesanteur dans son cauchemar, nauséeuse et triste, elle marcha jusqu'au rivage. En levant la tête vers le haut de la falaise et sa maison encore endormie, elle mit le pied dans un trou d'eau chaude et visqueuse. Elle regarda sans la voir la laitue de mer onduler sur sa chaussure, alla s'asseoir sur le rocher le plus proche. Elle tourna la tête en direction de la fille, toujours allongée au même endroit, soupira de rage à l'idée qu'elle aurait pu dormir mais que la réalité était tout autre. Maryline avait froid, un froid venu de loin, de ce passé vitrifié qu'elle tenait à distance depuis son retour en France et qui menaçait de voler en éclats. Elle retira ses chaussures, s'essuya les pieds du plat de la main, balança dans l'eau une fine lanière d'algue brune collée à son mollet. Elle se demanda ce qu'elle devait faire, assez tentée de ne rien faire. Après tout, la crique n'était pas son jardin, même si on pouvait la prendre pour la plage privée de Ker Annette. Elle se releva, tituba sur le rocher glissant pour retourner sur la plage, s'abîma le pied sur un banc de bigorneaux bleus ventousés à la pierre, jura tout bas et remonta vers la maison.

Elle tourna autour du téléphone un moment, incapable de faire le numéro du commissariat. Maryline faisait partie des traumatisés de la police qui gardent toute leur vie un air coupable dès qu'ils croisent des flics en uniforme. Sa vie à New York avait été émaillée de descentes violentes à l'appartement ou dans les clubs de Soho. Plus d'une fois, elle avait balancé la coke de William dans les toilettes, jeté par la fenêtre les amphétamines dissimulées dans des boîtes d'aspirine. Elle n'avait pas aimé qu'on la fouille, qu'on vienne la chercher pendant des prises de vue. Elle n'avait pas aimé payer des cautions pour récupérer William et ses musiciens pris le nez dedans. Elle sentait confusément que tout ressortirait intact si les flics venaient fouiner dans la maison, même si William ne faisait plus que boire du whisky et fumer de l'herbe qu'elle cachait sous ses pulls. Elle revit la fille sur la plage, son corps devenu soudain un objet abandonné et décrocha le téléphone.

Annick avait accompagné Miss Merriman dans sa chambre et finissait de préparer la table du petit déjeuner pour les Verchueren. Maryline lui expliqua calmement la situation. Annick n'était jamais où on l'attendait. Les mains sur les hanches, elle regardait par la fenêtre comme si, de là, elle pouvait voir la noyée.

— Amochée ? demanda-t-elle de son ton rogue habituel.

La vie monochrome d'Annick, le problème unique que constituait pour elle la violence de son mari avaient donné à la femme de ménage un recul surréaliste sur tout ce qui n'avait pas un lien direct avec son drame personnel. Si le cadavre n'était pas celui d'une femme battue, indifférente, elle passerait à autre chose.

Il ne fallut pas plus de quelques minutes pour que la police arrive, sirène en prime, totalement inutile sur la côte sauvage déserte à cette heure-là. Maryline frissonna d'énervement, son allergie à l'uniforme décidément intacte après dix ans de paix des armes. De la fenêtre, elle vit une ambulance s'arrêter, des voisins sortir de chez eux, alertés par le bruit et le mouvement inhabituel sur la petite route de la côte. Annick allait et venait de la cuisine à la salle à manger, son œil au beurre noir luisant de crème anti-inflammatoire, son tablier en nylon crissant contre la peau de ses bras nus. Elle dégageait son odeur particulière, un mélange équilibré de transpiration et d'eau de Cologne. Maryline lapait son café par automatisme. Les policiers étaient à quelques mètres et devaient être en train de lever la tête vers sa maison. Légèrement tremblante, elle se sentait plombée sur son siège. Elle croisa le regard d'Annick, fixa intentionnellement son monocle bleuâtre. Toute la rage de Maryline se focalisa alors sur cette femme qui se sentait dans le drame comme chez elle. Elle respira lentement pour retrouver un semblant de calme et ne pas faire porter la responsabilité de son angoisse à sa femme de ménage.

On entendit l'ambulance repartir mais pas les deux voitures de police. La tête en vrac, Maryline s'activa dans la maison pour tromper l'attente puis donna un coup de main à Annick dans la lingerie.

— Monsieur Herr, vous le connaissez ? lui demanda Maryline.

— C'est le type du blockhaus, non ?

Le blockhaus était le nom commun donné à la villa Esteraza, propriété de l'antiquaire et curiosité années trente qui ressemblait plutôt à un bateau de croisière.

— Oui, répondit Maryline.

— Ce type-là, il est riche à millions. Il vit tout seul dans cette grande baraque.

Annick n'avait pas envie de parler de Herr et elle planta Maryline au milieu du linge sale.

Maryline ouvrit la porte de la chambre, secoua William qui ronflait doucement. Il s'était couché avec sa bague tête de mort qui la fixait de son regard émeraude. William ouvrit les yeux et regarda Maryline comme une inconnue. N'étant pas du matin, et le deal était aussi ancien que leur histoire commune, elle devait le laisser se lever à son heure.

— Qu'est-ce qui se passe ? demanda-t-il en regardant l'heure sur le radio-réveil.

— Miss Merriman a trouvé un cadavre dans la crique. J'ai appelé la police. Lève-toi, s'il te plaît.

— Un cadavre ? Shit !

William se leva un peu brusquement, chancela sur ses longues cannes. Maryline l'attrapa par le bras et le remit d'aplomb. Elle le regarda s'habiller en silence, assise au bord du lit. Il avait l'air encore bourré. Ça tombait vraiment mal, se dit-elle.

— Quel genre de cadavre ? demanda-t-il en contemplation devant le placard ouvert.

L'exaspération gagnait Maryline en fusée. William semblait hésiter entre une chemise blanche et un tee-shirt noir griffé « free your ass » en caractères wisigoth, du meilleur goût vu les circonstances.

— Une jeune femme. Une jeune femme avec un tatouage sur le bras gauche et une robe longue.

Le regard de William vacilla un quart de seconde, puis il enfila son tee-shirt en tournant le dos à Maryline.

— Qu'est-ce que vous avez fait hier soir ? demanda-t-elle en ouvrant les rideaux.

— Comme d'hab', dit-il d'un faux air neutre, les yeux brûlés par la lumière du jour. Comme d'hab', répéta-t-il, réjoui par la sonorité de l'expression.

— C'est-à-dire ?

— On a bu un verre chez Herr avec Flag. Le quatrième au poker s'est décommandé alors on est allés au casino. Après, on a traîné au Joker un petit moment. Après… Il hésita, regarda furtivement Maryline qui attendait la suite. Après, je ne me souviens plus très bien. On a pas mal picolé, honey.

— Tu es rentré comment ? Je n'ai pas vu la voiture.

William faisait un effort honnête pour se souvenir. Il soupira, une bottine à la main.

— Je ne me souviens plus. Je sais que j'ai laissé la voiture devant chez Herr. Je suppose qu'il m'a ramené. Ça va me revenir. Ça finit toujours par me revenir.

— Vous n'étiez que tous les trois ? demanda Maryline qui priait pour ça.

William enfila sa deuxième bottine avec un chausse-pied, assis sur le lit, le dos tourné.

— Je crois, murmura-t-il.

Elle eut un râle douloureux.

— Je veux que tu sois sûr, William, cria-t-elle en se relevant.

Elle s'approcha de lui, lui fit face de toute sa hauteur.

— Non, je ne suis pas sûr. Flag a ramassé une fille à la sortie du Joker mais...

— Mais quoi ?

Il tripotait le chausse-pied, elle le lui arracha des mains.

— Flag voulait se la faire mais elle n'avait pas l'air intéressée.

Flag essayait toujours de se faire des filles qui voulaient se faire William. Et la plupart du temps, Flag était prêt à les lui livrer, nues et à peine majeures, sur l'autel de son admiration débile.

— Don't worry, honey ! Tu n'as rien à craindre.

— La fille que vous avez ramassée, elle portait un tatouage ?

— Peut-être... peut-être. I don't remember.

Maryline se leva d'un bond en entendant la sonnette de l'entrée et dévala l'escalier à toute vitesse.

Elle croisa Georgia qui lui demanda, les cheveux en botte de paille après la tempête du siècle, ce que c'était que « ce bordel dehors ». Maryline ignora l'adolescente et ouvrit la porte, l'air égaré.

Maryline était une femme lente qui devait prendre son temps et le savait. Quand tout s'affolait, elle se rendait dans une pièce capitonnée, quelque part dans un coin de sa tête, comme dans un monastère. Là, elle réfléchissait, triait, décidait. Elle respectait ce rythme imposé par sa nature. C'était une forme de sagesse instinctive et obligatoire pour garder l'équilibre et supporter les aléas de l'existence. Lorsque quelque chose la dépassait, elle sentait son organisme lutter pour calmer son cœur et se mettre dans un état proche de l'hébétude. Alors, elle ralentissait naturellement ses gestes et acceptait petit à petit ce qui lui arrivait.

Elle mit ainsi plusieurs secondes à comprendre que Simon Schwartz était planté là, sur le pas de la porte, dans le rôle du policier. Et il lui fallut quelques secondes supplémentaires pour s'apercevoir qu'il était aussi surpris qu'elle. Il prononça une ou deux phrases qu'elle entendit déformées comme dans un coquillage. Maryline s'effaça pour le laisser entrer et reprit violemment ses esprits quand Verchueren passa dans son champ de vision. Il s'attardait en bas de l'escalier, curieux et mal intentionné. Il ne résista pas au regard froid du flic et remonta dans sa chambre, lentement toutefois.

— Viens, dit Maryline en le précédant jusqu'à la cuisine.

Annick sortit de la pièce sans qu'on le lui demande, son œil au beurre noir planqué derrière un torchon.

— C'est toi qui as découvert la fille ? demanda-t-il.

La voix de Simon, revenue des limbes, était dure et profonde.

— Tu es flic, Simon ? Je n'arrive pas à l'imaginer. Et puis je te croyais ailleurs.

— Après ton départ... Simon hésita. Après ton départ, je suis allé à Nantes finir mes études. Ensuite, on m'a proposé un poste à Strasbourg. J'y suis allé pour voir et finalement j'y suis resté quinze ans.

— Tu es rentré quand ?

— En janvier dernier.

Maryline calcula que, depuis six mois, ils avaient dû se manquer des dizaines de fois, peut-être à quelques secondes près. Ils avaient dû se frôler sans se voir dans la rue ou chez les commerçants. C'était à peine croyable. Et pourquoi avait-il choisi la ville de France la plus éloignée de la mer, lui qui ne pouvait s'en passer ? se demanda-t-elle. Elle n'arrivait pas à le regarder en face. Simon l'observait avec insistance aller et venir dans la cuisine. Elle déposa une tasse de café devant lui puis s'adossa à l'évier, à distance respectable.

— Ça te surprend que je sois dans la police ?

— Oui, bien sûr que ça me surprend, répondit-elle d'un air agacé.

— Et toi en hôtelière, c'est cocasse, non ? Il y avait de la méchanceté à l'état pur dans le regard de Simon. Que faisais-tu sur la plage à sept heures du matin ? demanda-t-il, un peu cassant.

Elle lui expliqua, dans l'ordre, son retour dans la région après ses années américaines, la maison d'hôtes, Miss Merriman et sa balade quotidienne sur la côte sauvage.

— Elle s'est noyée ?

— Je ne sais pas. L'autopsie nous en dira plus.

Simon regarda autour de lui la cuisine de Maryline, sa collection de théières anglaises, les Post-it sur le Frigidaire, s'attarda sur les dernières élucubrations de Georgia, un « how are you today ? » en lettres rouges sanguinolentes retenu par un magnet sur le lave-vaisselle.

— C'est mieux qu'avant ici. Je croyais que tu détestais cette maison.

— Moi aussi. Mais il y avait urgence quand je suis rentrée et je n'ai pas eu le choix. J'ai pensé la vendre, je n'ai pas eu d'offre intéressante, alors j'ai attaqué les travaux et j'ai fait disparaître tout ce qui…

Maryline s'interrompit. Bouche entrouverte elle laissa mourir dans sa gorge le reste de la phrase que Simon ne devait pas entendre. Il détourna la tête. Maryline le connaissait si bien qu'elle n'eut aucun mal à imaginer le désarroi sur ses traits qu'il avait caché de justesse en lui tournant le dos.

Simon tapotait sur son carnet avec la cuillère à café pendant que Maryline s'affairait autour de lui, papillon irrésistiblement attiré par la lampe qui lui brûlerait les ailes. Le ronronnement d'une machine à laver, une toux à l'étage et des bruits de pas dans l'escalier leur permirent de résister à la tension et de ne pas s'enfuir chacun de son côté. Ils ne s'étaient pas parlé depuis vingt ans et là, dans la cuisine de Ker Annette, ils s'accrochaient à mots couverts exactement comme autrefois, quand les provocations de l'un affûtaient chez l'autre une folle envie de rendre les coups avec cette délicatesse millimétrée, codée par eux depuis l'enfance et que le temps ne semblait pas avoir altérée.

— Qu'est-ce qui va se passer ? demanda-t-elle.

— On va faire une enquête. On va voir s'il s'agit d'un accident. On va chercher qui est cette fille, pourquoi elle s'est retrouvée dans la crique. Il semblerait qu'elle se soit noyée très près du rivage. La marée descendant, elle est restée peu de temps dans l'eau. Elle n'avait pas de papiers sur elle et on n'a pas trouvé de sac à proximité. Tu n'as rien entendu de particulier cette nuit ?

— Non.

— Tu n'as rien trouvé sur la plage ?

— Non. Enfin, je ne crois pas. Je ne peux pas dire que j'aie cherché.

— Je vais être obligé d'interroger tout le monde ici, dit-il.

Maryline se raidit, pensa à la bague perdue des Verchueren. Et Georgia qui pouvait dire n'importe quoi pour se rendre intéressante, et Annick avec son cocard, et William, mon Dieu, William !

On sonna à la porte, c'était l'équipier de Simon. Maryline fut chargée de prévenir les Verchueren, Miss Merriman et les autres que la police était là et qu'elle avait des questions à leur poser. Mortifiée, elle préféra disparaître et monta avec Annick faire les chambres.

— Vous saviez que Simon Schwartz était flic ? lui demanda-t-elle.

Sur le balcon, la femme de ménage époussetait avec une violence exagérée la serviette de Miss Merriman. Dans chacun de ses gestes, Annick semblait assassiner son mari. Elle le noyait dans l'eau de vaisselle, le découpait au couteau de cuisine, le fouettait jusqu'au sang avec la serviette de l'Américaine.

— Oui.

Maryline aurait pu tordre le cou d'Annick qui lui refusait tout, tout le temps. Elle n'insista pas, changea mécaniquement la housse de couette de Miss Merriman.

Soudain accablée, elle fondit en larmes, assise au bord du lit. Annick, revenue de la terrasse, observa interdite le dos de Maryline secoué de désespoir. Elle posa une main gênée sur l'épaule de sa patronne. Annick qui n'aurait même pas su caresser un chat était à la torture.

— C'est rien, balbutia-t-elle.

Rebecca Merriman lui sauva la mise, arrivée dans la chambre, un peu essoufflée.

— Ho ! Mrs Halloway ?

En Américaine rodée aux accolades, Miss Merriman redressa délicatement Maryline, ouvrit le tiroir de sa table de nuit et lui tendit un mouchoir en papier vert parfumé à l'eucalyptus. Annick, plus à l'aise à trois qu'à deux, rejoignit les autres au bord du lit. Muette et grave, elle regarda Maryline avec curiosité, ses mains inutiles posées à plat sur ses cuisses. Miss Merriman tenait doucement le poignet de Maryline comme si elle lui prenait le pouls.

— Ce corps sur la plage, ça m'a bouleversée, dit Maryline.

Elle se moucha et soupira longuement pour reprendre ses esprits. Elle entendit sans les écouter les deux femmes parler des cadavres qu'elles avaient vus défiler dans leur vie. Grands-parents, parents, frères et mari pour l'Américaine, accidentés et noyés en mer pour Annick. Elles se tiraient la bourre, c'était à qui en avait vu le plus. Oui, Maryline avait été bouleversée par le corps de cette femme, mais pas seulement. Elle ne pouvait rien dire de l'essentiel, de la peur panique que William puisse être mêlé à cette histoire et que tout le cirque recommence. Elle ne pouvait rien dire non plus du choc qu'elle avait ressenti en voyant Simon, Simon l'amour de jeunesse dont elle gardait encore des traces sur le corps, Simon son frère de la côte, celui par qui le désir puis le plaisir étaient arrivés et qu'elle avait abandonné sans explication pour aller faire sa vie ailleurs. Maryline poussa un long soupir douloureux qui paniqua Annick et Miss Merriman. Elles échangèrent un regard mi-complice, mi-possessif.

— Maman, le flic te demande ! cria Georgia en déboulant dans la chambre.

Elle s'arrêta net devant le spectacle des trois femmes qui se tenaient les mains au bord du lit comme des sorcières en plein sabbat.

— Qu'est-ce qui se passe là-dedans ? demanda-t-elle.

Elle s'approcha de sa mère, s'aperçut qu'elle était toute rouge, le visage luisant de larmes.

— Maman ?

Une seule chose au monde pouvait faire perdre sa superbe à l'adolescente, qui de marchande de poisson se transformait à vue en une fillette apeurée et docile : les larmes de Maryline, mystère parmi les mystères, trou percé dans la personnalité de sa mère.

— Qu'est-ce qui se passe en bas ? demanda Maryline en s'essuyant le visage.

— Le flic nous a interrogés les uns après les autres. Il m'a demandé à quelle heure je suis rentrée hier soir et si j'avais remarqué quelque chose. Il m'a demandé si je m'appelais Georgia à cause de la chanson, je lui ai dit oui. Il m'a aussi demandé si je connaissais une fille avec un tatouage sur le bras. Je lui ai dit que j'en connaissais plein. Voilà, c'est tout. Il n'a pas l'air bien méchant. Beau mec en tout cas, ajouta-t-elle en souriant, pour détendre l'atmosphère, sans doute.

— Il a parlé à ton père ?

— Oui. Il t'attend, maman, dit Georgia en l'aidant à se relever.

Maryline s'arrêta quelques secondes devant le miroir de la chambre puis laissa Annick finir le ménage avec Miss Merriman. Georgia la quitta au premier pour rejoindre son terrain vague.

La porte d'entrée était ouverte et Maryline sortit sur le perron. Simon Schwartz marchait en regardant ses pieds sur le gravier de l'allée, le visage fermé. On entendait vaguement les miaulements de la Gibson de William par la fenêtre du studio. Maryline l'observa un moment sans qu'il remarque sa présence. Il avait cet air un peu terni de ceux que personne ne regarde dans l'intimité. Elle nota la décontraction froissée de sa chemise bleu pâle, son pantalon de toile délavée et son stylo accroché à la poche d'une veste de plusieurs étés. Il avait les mêmes cheveux épais et blonds en poil de pinceau un peu longs qu'il repoussait derrière ses oreilles, les mêmes pommettes saillantes, le même nez formidable et ces narines de jouisseur qui se gavaient d'air. Pendant qu'il l'interrogeait dans la cuisine, elle avait remarqué que ses yeux bleus un peu las n'avaient rien perdu de leur sentimentalité contrariée. Mais Simon était aussi un homme fort comme les hommes devaient l'être autrefois, pensa-t-elle. Elle se rappela que dans la cour du lycée, il toisait tout le monde et son regard semblait dire « vous n'êtes que des enfants ». Brutal et doux, il était le plus beau et elle n'en avait pas voulu. Maryline soupira doucement. Que pouvaient-ils se dire désormais ? Pendant qu'elle souriait aux photographes et marchait dans New York, lui retournait les morts et fouillait leurs poches. La distance qui les séparait lui sembla vertigineuse. Pourtant le corps de Simon était bien là et elle se souvenait très précisément de toutes ses odeurs, de sa peau blanche, laiteuse et nacrée, qu'elle avait adorée.

Simon tourna la tête en direction de la maison, s'aperçut de la présence de Maryline et la rejoignit sur le pas de la porte. Arrivé à sa hauteur, tout en fixant la cime des pins centenaires, il lui demanda à quelle heure William était rentré la veille. Elle se dit que les flics français et américains avaient la même technique pour interroger les gens, ce regard ailleurs qui semblait se désintéresser des réponses qu'on leur donnait. Elle lui en voulut de lui faire subir, à elle, le même traitement qu'aux autres. Ignorant ce que William avait pu raconter, elle opta pour la vérité.

— À trois heures dix. Qu'est-ce qu'il t'a dit ?

— Il ne se souvient pas dc grand-chose, répondit-il.

Presque indifférent à Maryline, Simon examinait l'architecture médiévale de la villa Ker Annette, la mosaïque colorée sous la toiture en pointe, le saint peint en rouge dans sa niche au coin de la façade biscornue, assorti au bois des balcons et exemplaire comme un lare.

— Tu nous soupçonnes, Simon ? demanda-t-elle en cherchant son regard.

— Cette fille est morte sous vos fenêtres.

Un nouveau silence entrecoupé de riffs de guitare et de lointains cris d'enfants s'installa entre Simon et Maryline.

— J'écoutais ses disques. J'écoutais ses disques et je l'admirais. Il sourit tristement. Quand je suis rentré, on m'a dit qu'il était venu s'installer dans le coin mais je ne savais pas que c'était avec toi. Je te croyais toujours à New York. Qu'est-ce qu'il fout dans ce trou ?

— Quand mon père est mort, je lui ai proposé de venir habiter ici et il a accepté.

— J'aurais préféré te revoir dans d'autres circonstances, dit Simon au bout d'un moment.

Elle aurait dû dire « moi aussi », rime obligée qu'elle s'interdit. Le Simon flic lui restait en travers de la gorge.

— Tu as pleuré, dit-il.

Ce n'était pas une question. Il sortit de son portefeuille une carte de visite qu'il lui tendit. Je crois qu'on t'attend, dit-il en regardant derrière elle dans la maison.

Les Verchueren étaient dans le salon, bagages aux pieds, l'air en deuil. Ils payèrent leurs trois nuits sans faire d'histoires. Maryline les raccompagna à la porte. Lui trimballa ses valises jusqu'à la voiture pendant que sa femme suivait en consultant le ciel. Maryline reconnut sur le visage du Belge cette irritation de l'homme moderne qu'on n'a pas élevé comme un homme mais qui doit continuer à porter les valises. Elle se dit qu'ils avaient, bien morveux, retrouvé la bague et que s'excuser n'était sans doute pas dans leurs moyens.

Maryline frappa à la porte du studio de William puis entra sans attendre. Elle le trouva assis sur sa chaise à roulettes, la tête penchée sur sa guitare, en pleine messe basse. Elle déposa sur le bureau une Thermos de café et une part de cake aux fruits.

— Oh, what's that ? demanda-t-il guilleret, en regardant le morceau de gâteau.

— C'est du cake, William. Mets tes lunettes et tu découvriras à quel point le monde peut être intéressant.

— Brilliant ! lança-t-il avec enthousiasme, ignorant l'allusion.

Elle remarqua, posée sur une étagère, une photo d'elle qui n'était pas là quelques jours plus tôt. Elle s'en approcha, la regarda longuement. Elle se souvenait de cette séance de pause pour *Vogue* en 1991, de cette merveilleuse robe noire rebrodée de perles blanches plus lourde qu'un gilet pare-balles.

Maryline Halloway avait fait partie de ces mannequins des années quatre-vingt-dix qui pour la première fois avaient eu un nom et un prénom en plus des vêtements de haute couture qu'elles portaient comme des stars. Peu de temps après son arrivée à New York, un photographe de mode l'avait abordée dans un café. Elle avait abandonné du jour au lendemain son job de jeune fille au pair et tout était allé très vite. Maryline n'était pas belle mais elle était mystérieuse ce qui revenait à dire qu'elle était belle. Les magazines aimèrent d'emblée sa mélancolie particulière, ce détachement qui lui donnait sur les podiums une démarche de spectre, une nonchalance qui donnait envie de la saisir par les chevilles pour l'empêcher de s'envoler. À l'époque, encadré par une mantille de cheveux blonds, son visage était une esquisse, juste avant que le peintre ne se décide à y imprimer un défaut ou un caractère.

Sacrifiant aux caprices trash des photographes du moment, les rédactrices de mode s'ingénièrent à lui faire subir le même traitement qu'aux autres. Ainsi Maryline fut-elle shootée sur la banquise, à vingt mètres du sol en équilibre sur un trapèze, avec des rottweilers, des ours et des dauphins. Avec des Roms aussi et des catcheurs, déguisée en Japonaise ou courbée entre deux étagères. Avec ou sans accessoires, à midi ou deux heures du matin, Maryline gardait ce regard décalé d'un ou deux millimètres au-dessous de l'objectif et qui disait « je suis ailleurs et là où je suis c'est beaucoup mieux ». Elle devint ensuite l'égérie de jeunes protestants néerlandais qui vénéraient ses absences. Les robes de nonnes et les vêtements austères sortis de leur imagination rigoureuse allaient à merveille avec son mystère. Mais c'était au moment où William déjantait de plus en plus et l'aventure tourna court après leur départ pour la France.

William posa sa guitare et regarda sa femme en silence. Maryline poussa une pile de vinyles et s'assit face à lui sur un canapé défoncé.

— Les Belges sont partis ? demanda-t-il, grimaçant son mépris. Je n'aime pas ces gens, ils n'ont rien à faire ici. Je n'aime pas qu'on nous regarde comme des freaks ou des boutiquiers. We don't need money, you know that.

— Je peux te parler ? demanda-t-elle, indifférente aux Belges.

— Yes, honey ! Of course.

— Qu'est-ce que tu as dit aux flics ?

— La vérité.

— Tu leur as parlé de Flag et de Herr ?

— Oui.

— Et la fille ?

— Pas vraiment.

— William ! cria Maryline. Pourquoi ? Je suis sûre que tout le monde vous a vus en ville hier soir.

William souffrait dès qu'il devait être précis ou sérieux. Il souffrait vraiment parce que la réalité n'était pas son terrain de jeu. Quand elle s'imposait à lui, il devenait fuyant et guindé.

— Cette fille sur la plage était avec vous hier soir, avoue-le. Essaie de te souvenir, fais un effort. Tu es rentré avec Herr ? Flag était aussi dans la voiture avec la fille ?

— Je ne sais pas, Maryline, vraiment.

— Tu n'as pas l'intention de récupérer ta voiture chez Herr ?

— Plus tard. Je n'en ai pas besoin pour l'instant.

— C'est qui ce type ?

— Oh ! Mister Man ? C'est un type marrant. William éclata de rire. Tu sais qu'il n'avait jamais entendu parler des Stones quand je l'ai rencontré. Unbelievable ! Et il croit que Zappa est une marque de briquet ! Did you make that cake ? demanda-t-il en prenant dans l'assiette la tranche de gâteau.

Il la mangea en silence et avec un grand respect pour ses fausses dents puis sortit un paquet de cigarettes cabossé de son fuseau pop. *Been smoking too long* *. Voix enrhumée de folk singer, il ferma les yeux, enveloppé dans sa mémoire.

Maryline en voulait plus et revint à la charge, bien décidée à ne pas laisser William l'enfumer comme il en avait l'habitude.

— Ce Herr, qu'est-ce que tu lui trouves au fond ?

William rouvrit les yeux, réfléchit en pinçant les cordes de sa Gibson.

— Je te l'ai dit, il me fait rire. Il me touche aussi. J'aime cet homme, c'est tout. Il me fait confiance et venant d'un type comme lui, ce n'est pas rien. Tu comprends ?

— Non, bougonna Maryline. Pourquoi ne me l'as-tu jamais présenté ?

— Écoute Maryline. Ne te fais pas de film. Je n'ai rien fait pour que tu ne le rencontres pas, c'est la vie, c'est comme ça. Tu as pleuré.

— Oui.

— Tu ne te demandes jamais pourquoi on ne voit jamais de tourterelles sur la plage ? Il y en a partout dans la station mais elles se tiennent toujours à bonne distance de la mer. Elles ne sont pas faites pour s'en approcher.

— Pourquoi tu me parles des tourterelles ? s'étonna Maryline.

— Herr et toi, c'est comme la mer et les tourterelles. C'est dans la nature des choses que vous vous ignoriez. Maryline eut un sourire énigmatique qui inquiéta William. Je suis désolé. Je te jure que je n'ai rien fait de mal.

À sa diction collante, à ses images étranges, Maryline le soupçonnait de cuver encore son whisky de la veille.

— Où est Flag ?

— Aucune idée. Il ne répond pas au téléphone.

Maryline se leva. William avait une tête épouvantable. Inquiète, elle chercha comment dédramatiser.

— Tu as trouvé pour les Beach Boys ? lança-t-elle en ouvrant la porte du studio.

Le visage de William s'illumina soudain.

— Non ! Ça me tracasse, tu sais. Il y a *Pet Sounds* tout de même.

Maryline avait du mal à comprendre cette lubie de William pour des types en chemises rayées et casques de cheveux en plastique, qui chantaient plantés en demi-cercle, un genou légèrement plié et a cappella des mélodies gnangnans.

Depuis leur retour des États-Unis, William faisait semblant de s'intéresser aux nouveaux mouvements musicaux, aux « trucs mous qui suintaient du casque de Georgia », disait-il à Maryline en douce, mais tout cela au fond l'ennuyait terriblement. Le rock français auquel Flag l'avait initié le mettait de bonne humeur, jusqu'à l'hilarité. Sinon, il préférait rechercher dans sa collection de vieux vinyles des messages subliminaux qui lui auraient échappé à l'époque. Il connaissait par cœur des milliers de titres qu'il servait à son entourage, toujours à propos. Les bons jours, Maryline avait l'impression de vivre dans une comédie musicale. Déprimée, elle pouvait trouver ça franchement puéril voire exaspérant. Redoutant sans doute sa réponse, elle ne lui avait jamais demandé pourquoi il ne chantait aucune de ses propres chansons. C'était tout simplement comme si elles n'existaient pas.

Lorsqu'elle arriva au perron de Ker Annette, *Gimme Shelter* *, lancé par William à toute allure, lui vrilla les oreilles tel un cri dans la nuit.

Rape ! Murder !
It's just a shot away
It's just a shot away

William hurlait et c'était déchirant. Maryline se précipita à l'intérieur pour s'épargner la suite et pour ne pas pleurer.

3

La porte refermée sur les hurlements de William, Maryline demanda à Annick de préparer le déjeuner de Georgia puis monta jusqu'à la salle de bains prendre les clés de l'Austin dans la veste de William. Elle trouva sa fille sous la douche, qui se savonnait avec entrain. Elle quitta la maison en courant, enfourcha son vélo, direction le bourg. Elle avait un peu d'avance sur Simon qui n'avait pas encore questionné Flag et Herr. Elle ignorait à quoi lui servait cette avance mais elle ne pouvait rester sans rien faire et il fallait de toute façon qu'elle sache. Elle trouva la voiture de William décapotée, un jouet d'enfant à portée de voleur, mal garée devant la villa de l'antiquaire. Elle la passa au peigne fin, n'y trouva qu'une bouteille de Chivas presque vide et un pull marron, serpillière que Flag traînait partout. Elle remonta la capote et s'assit au volant. Il fallait qu'elle réfléchisse. Sa tête tournait à toute vitesse depuis sept heures du matin et la découverte de la fille au tatouage. Elle aurait voulu rembobiner, revenir à la veille. Mais la veille, pas de Simon Schwartz, se dit-elle. Maryline essaya de considérer la situation avec le plus grand calme. Elle versa le reste de Chivas dans le bouchon de la bouteille, l'avala d'un trait puis claqua la langue. Pourquoi cette fille avait-elle fini noyée sur la plage ? Pourquoi n'avait-on pas retrouvé son sac ? Maryline se dit que la fille devait être aussi bourrée que les trois autres. Dans le meilleur des cas, elle avait voulu se baigner pour épater ces trois crétins, incapables de la sauver de la noyade. Alors ce n'était la faute de personne, c'était un accident, c'était la vie. Elle fit différents montages, où, tour à tour, chaque protagoniste prenait le dessus. Aucun scénario ne la rassurait vraiment.

Elle s'inquiétait pour William, incapable de nuire à qui que ce soit sauf à lui-même. Cet homme au bonheur contagieux, capable de donner à tous des leçons de légèreté et de se laisser vivre avec une volonté de fer, avait parfois de profonds moments de désespoir qu'une simple inquiétude pouvait déclencher. Alors, d'un coup, son regard s'assombrissait, il devenait mutique, renvoyait tout le monde et s'enfermait dans son studio avec une réserve de whisky. Pendant deux ou trois jours, les murs du studio tremblaient comme si sa guitare saturée allait faire sauter les murs et il fallait attendre qu'il ait vaincu ses fantômes. Il y avait chez William une routine du désespoir, un langage et des rites, que Maryline et Georgia avaient appris à comprendre et à respecter. Ainsi, quand du fond du studio leur parvenaient les dernières paroles de la chanson la plus triste du monde, quand elles entendaient la voix usée de William murmurer derrière le mur *Every junkie's like a setting sun* *, elles savaient qu'elles pouvaient aller le récupérer, épave fumante et épuisée, bouffie de musique et d'alcool, pour le remettre d'équerre.

Heureusement, les crises s'étaient espacées et William se bornait en général à jouer avec le feu, à chantonner dans l'oreille de Maryline, d'une voix douce à vous briser le cœur, *Now I wanna sniff some glue* * qu'il avait autrefois hurlé avec les Ramones. Elle faisait non de la tête, c'était une private joke entre eux, et on passait à autre chose.

Cet homme généreux et élégant, fils d'une longue lignée de Bostoniens aux mœurs encore anglaises, aimait avec humour, souffrait avec humour et mourrait sûrement un jour avec humour, ça ne faisait aucun doute pour Maryline qui l'admirait malgré ses failles et avec ses failles. Elle restait toutefois sur ses gardes car William était un survivant, un rescapé de la dope, un homme fragile incapable de voir venir le danger, producteurs véreux ou compères de cuite qui profitaient de ses faiblesses. Et puis un cadavre dans leur crique était en soi une foutue contrariété.

Elle tourna la tête en direction de la maison de Herr. Pas mal d'histoires avaient circulé à propos du paquebot étincelant. C'était un vrai fortin qui avait toujours avalé ses occupants, les dérobant à la vue des passants. Maryline avait entendu ses parents raconter des anecdotes à propos de la réputation sulfureuse de la villa Esteraza que les Allemands avaient occupée pendant la guerre avec l'assentiment de ses propriétaires. Ils lui avaient transmis le virus de leur curiosité frustrée. Médecin du bourg, le père de Maryline n'avait jamais été appelé pour quiconque dans cette maison qui, de mémoire locale, n'avait pas changé de main depuis sa construction.

Elle repensa à l'histoire de la mer et des tourterelles. Devait-elle la prendre comme un avertissement de la part de William ? Lui conseillait-il de rester à distance de Herr ? Elle regretta de ne pas l'avoir poussé jusqu'au bout de sa métaphore animalière.

Elle claqua derrière elle la porte de la voiture et poussa la lourde grille de la demeure. Elle remonta l'allée d'un jardin très nu, aussi pelé que le dos d'un vieux chien, rasa un bel écureuil, monta les marches du perron et sonna. Elle entendit des pas en écho comme dans un hall de gare, se regarda de haut en bas pour vérifier son allure. Maryline était presque toujours sûre de son apparence. Son ancien métier lui avait appris qu'il suffisait de se comporter en femme attirante pour l'être. L'homme est paresseux, pensait-elle, et prend ce qu'on lui tend, sans réfléchir. La porte s'ouvrit sur un petit homme qui la regarda en souriant.

— Oui ? demanda-t-il gentiment.

Maryline se présenta et il s'effaça pour la laisser entrer dans un salon qui avait vraiment la taille d'un hall de gare. Saisie par les lieux, elle laissa l'homme la guider jusqu'à un canapé dont il désigna la partie droite comme si cela avait pour lui une importance particulière.

— Un café ? demanda-t-il.

Maryline accepta et Herr disparut derrière une porte latérale. Restée seule dans la pièce extravagante, elle découvrit stupéfaite l'intérieur de cette maison qui avait tant fait fantasmer son père. La pièce était entièrement meublée dans ce style des années trente, glacé et inconfortable, qu'elle détestait. Une sculpture d'éphèbe à tête de nazi et au torse aplati prenait son élan au milieu du salon. Perdus sous six mètres de plafond, quelques lourds fauteuils en daim taupe et rivés au sol rappelaient les décors guindés des films d'avant-guerre. Des tapis aux motifs géométriques semblaient n'avoir jamais été foulés, les bibelots méprisaient les regards. Les murs étaient tendus d'une sorte de damas ivoire que des appliques d'albâtre en forme d'éventail égayaient à peine. Le bouquet de fleurs abstraites posé sur une console paraissait avoir été dessiné en même temps que son vase. Derrière la baie vitrée, même la lumière de juillet donnait une impression de froid polaire. Maryline frissonna. Comment pouvait-on vivre dans un endroit pareil ? se demanda-t-elle, mal à l'aise. Son regard fut attiré par un tableau, accroché au mur qui lui faisait face. Dans un cadre argenté, une belle femme brune posait assise en robe noire luisante et chapeau à plume blanche. Elle vous jaugeait d'un air indifférent de grande bourgeoise abandonnée sur une ottomane, née lasse et morte lasse sans doute, dans un monde las de lui-même.

Revenu de la cuisine, Herr déposa sur la table basse un plateau chargé d'un service à café au grand complet. Il tourna la tête vers le tableau.

— Je viens de le récupérer, dit-il. C'est un portrait de ma grand-mère. On me l'emprunte souvent pour des expositions. C'était une vraie garce.

Herr versa le café dans des tasses octogonales peintes de roses bleues et noires, en tendit une à Maryline.

— Lorsque j'étais enfant, votre maison me fascinait. Je rêvais d'y entrer, dit-elle.

— Elle a été construite par mon grand-père, dit l'homme, tout en regardant autour de lui d'un air satisfait. Je devrais plutôt dire ma grand-mère. Dans ma famille, les femmes décident et les hommes paient.

Sa bouche claqua comme un drapeau par grand vent.

Herr dégageait une assurance qui plaquait Maryline contre le dossier du canapé. Ses phrases étaient des pensées définitives qui excluaient tout commentaire.

— Vous habitez Ker Annette, n'est-ce pas ? Ce manoir médiéval à la sortie de la ville ? reprit-il. La première sur la côte sauvage ?

— Oui, dit-elle, en tenant sa précieuse tasse des deux mains.

Herr plissa les yeux.

— Construite par Dommée en 1906 ou 1907, je me trompe ? Une superbe frise de courlis en faïence, un saint Cosme en bois. Savez-vous que son premier propriétaire avait fait fortune dans le sirop ?

— Je l'ignorais, dit Maryline.

— Vous devriez le savoir, c'est important. Il prit un air préoccupé. Voyez-vous, ici, nous sommes nos maisons, elles sont notre sceau, notre carte d'identité. Elles ont toutes un nom que l'on doit protéger. Il y eut un silence. Vous souhaitiez me rencontrer pour une raison particulière ? demanda-t-il en la regardant dans les yeux.

— Ce matin, on a trouvé le cadavre d'une femme dans la crique en bas de chez moi. Je pense que cette femme a passé la soirée d'hier avec vous. William est incapable de me dire ce qui s'est passé et il n'a pas jugé bon de le mentionner à la police. Il dit qu'il ne se souvient de rien.

Le visage de Herr se ferma. Il soupira longuement, ouvrit un étui doré d'où il sortit une cigarette sans filtre, l'alluma et tira quelques bouffées en regardant par la baie vitrée.

— J'aime beaucoup votre mari, dit-il. C'est un homme très drôle et très élégant. Nous n'en avons pas l'air mais nous sommes du même monde, lui et moi. Nous avons toujours un tas de choses à nous dire.

Herr eut un rire étrange, découvrant une rangée de petites dents noircies. Il produisait sur Maryline un effet compliqué. Elle était dégoûtée par la vision d'ensemble et bizarrement attendrie par les détails. Qu'il parle ou se taise, une souffrance fébrile ne quittait pas ses traits, malgré l'autorité de la voix. On n'aurait jamais pu inventer un tel visage, se dit-elle. Sa laideur était tellement intéressante qu'on ne pouvait en détourner le regard. Tous ses traits convergeaient vers sa bouche, ses lèvres ourlées et fines qui s'étiraient en une grimace souriante. Ses petits yeux d'un noir brillant vous regardaient jusqu'à la moelle. De profonds cernes noirs et des joues enfoncées comme s'il les mordait lui donnaient un air fiévreux. Un col de chemise serré très haut sur son cou en tension accentuait la raideur de sa silhouette. On aurait presque dit qu'il essayait volontairement de s'étouffer. Sa diction parfaite, sa façon de vous donner de l'importance en vous scrutant de son regard pointu vous mettaient en cage, pensa Maryline. Herr l'avait entraînée sur son terrain et elle perdait le fil.

— Oh ! cria-t-elle alors qu'un chat aux poils cendrés sauta sur ses genoux où il s'endormit aussi sec.

Herr pencha la tête avec un air gentil.

— Je vous présente Des Esseintes.

Il regarda Maryline en silence. Elle eut l'impression qu'il la trouvait belle.

— William m'a dit que vous teniez la boutique d'antiquités près du casino.

— Oui, répondit-il d'un air dégagé et indifférent. Je ne sais pas pourquoi je garde ce magasin, je déteste jouer à la marchande. Quand je vois ces hordes débarquer, je n'ai qu'une envie, fuir !

— Je comprends, dit-elle en riant. Parfois j'ai le sentiment que nous gérons une immense garderie à ciel ouvert, remplie à ras bord d'enfants hyper-actifs qui font n'importe quoi et qu'il faut occuper à tout prix. Il leur faut chaque année toujours plus de loisirs et de festivités. À la fin de l'été, on remballe les jouets et on souffle.

L'atmosphère se réchauffait dans le hall de gare et ils échangèrent un vrai sourire. Maryline caressait le chat mécaniquement.

— Que s'est-il passé hier soir, monsieur Herr ? demanda-t-elle après un silence.

— Hier soir, nous sommes allés au casino, dit-il en regardant ses mains avec gravité. Nous y sommes restés un peu plus d'une heure. Flag était dans tous ses états. Herr regarda Maryline d'un air entendu. Elle comprit qu'il faisait allusion aux crises d'angoisses hypocondriaques qui rendaient à moitié fou le malheureux Flag. William et lui n'étaient pas capables de conduire et j'ai accepté de les accompagner au Joker où ils ont continué à boire pas mal. Nous avons eu une conversation un peu décousue mais très intéressante. Nous avons parlé d'art, c'est une habitude entre nous. J'ai évoqué cette idée de Magritte que les objets ne tenaient pas particulièrement à leur nom et nous en sommes venus à parler des objets dont nous nous entourons. Votre mari a eu une phrase admirable. Il a dit : « Nos objets nous aiment. Détrompons-nous sur leur inertie. Leur intention est de nous protéger de l'avenir. » Oui, c'est ça, c'est exactement ce qu'il a dit. C'est formidable, non ? Ensuite, je les ai ramenés chacun jusqu'à sa porte vers trois heures du matin.

— Moi, c'est la fille qui m'intéresse, dit Maryline.

— Eh bien, vous avez tort, la coupa-t-il, glacial. Elle eut l'intuition que cet homme, en colère, devait être tout à fait effrayant. Cette fille a commencé à nous importuner au Joker. C'est à cause de Flag qu'elle est montée dans la voiture. Je pense qu'il avait des projets la concernant. Cette pauvre fille était incohérente et très envahissante. Nous avions tous les trois envie d'aller nous coucher et je l'ai déposée en premier.

— Où l'avez-vous déposée ?

— Sur la côte sauvage, répondit-il d'un air las.

— Mais... ?

— Madame Halloway, je n'ai rien de plus à dire sur cette triste histoire. Je ne connais même pas le nom de cette fille, je l'ai à peine vue. Je ne pourrais même pas la reconnaître. Tout ce que je peux vous dire est qu'elle parlait fort et qu'elle était insupportable.

— Très bien, dit Maryline en déposant le chat à côté d'elle.

Elle n'arrivait pas à croire Herr. C'était pourtant ce qu'elle avait envie d'entendre, une version des faits qui les disculpait tous les trois. Simon s'en contenterait-il ? Elle regarda l'homme caresser sa main droite avec sa main gauche et se dit que ce type suait le mensonge de la tête aux pieds. Elle comprit à son air fermé que l'entretien était terminé.

Elle se leva et tendit une main protocolaire à son hôte. Il la raccompagna à la porte sans un mot. Elle sentit son regard sur sa nuque et non sur ses fesses comme il était d'usage. Maryline traversa le jardin dans l'autre sens en se pourrissant d'injures. Elle avait été nulle et elle perdait les quelques précieuses heures d'avance qu'elle avait sur les flics. Elle remonta dans la voiture, cala son vélo à l'arrière, direction le squat de Flag, qui lui, n'allait pas la lui jouer. Ce minable n'en avait pas les moyens, le temps pressait et elle devait être de retour pour l'arrivée de deux touristes japonais qui avaient loué pour une semaine. En chemin, elle se repassa sa visite chez Herr, releva tous les blancs qu'elle n'avait pas eu la présence d'esprit de remplir, maudit son manque d'à-propos, sa lenteur qui l'exaspérait. Tout allait toujours trop vite pour elle. Elle avait appris à se servir de son charme pour gagner du temps mais elle était bien obligée d'admettre qu'il n'avait pas opéré sur le petit antiquaire. Cet homme-là semblait consumé par bien d'autres fantasmes, pensa-t-elle, mal à l'aise, en longeant la grande plage.

Elle pila devant chez Flag, attrapa son pull serpillière et monta le petit escalier de l'immeuble jusqu'à l'appartement qu'il occupait vaguement. Flag passait une grande partie de son temps dans le studio de William et y dormait un soir sur deux, comme un chien dans sa niche. Elle sonna en vain puis poussa la porte. L'appartement était plongé dans l'obscurité. Elle appela Flag, finit par le trouver, allongé sur le matelas grabat qui lui faisait office de lit. Elle le secoua et ouvrit les volets. La lumière se répandit violemment dans la pièce, éclairant au passage un poster géant de William punaisé sur le mur. Maryline leva les yeux au ciel. Flag mit un certain temps à comprendre que Maryline était là et qu'elle le regardait de près avec un air revêche. Elle n'était jamais très aimable avec lui mais en règle générale elle ne prenait pas la peine de se déplacer pour le lui rappeler.

— Qu'est-ce que tu fous là ? dit-il en se redressant dans son lit.

Elle lui expliqua la situation, de la découverte du corps sur la plage à la venue des flics. Flag passa une main douteuse dans sa chevelure, se gratta la nuque, toussa, se racla la gorge. Maryline détourna la tête. Le spectacle de Flag au réveil était difficile à supporter.

— Ne me fais pas le coup du « je ne me souviens de rien ». Cette fille, c'est qui ? Qu'est-ce qu'elle foutait avec vous ?

Il lui fit un signe de la main qui voulait dire « du calme » et réfléchit longuement. À mesure qu'il se remémorait la soirée, son visage se ferma tel celui de Herr quelques minutes plus tôt.

— Qu'est-ce qui s'est passé ? Dis-moi la vérité. Tu sais que William ne peut pas se permettre de faire le con. Le moindre faux pas et tout le monde rapplique. Les flics, les journalistes, tout le monde. Quand je pense que je t'ai fait confiance ! cria-t-elle en se tapant le front du plat de la main.

Flag la regardait s'énerver, tourner en rond dans des vapeurs de velours et de soie parfumés. Sa couette remontée jusqu'au cou, il tentait de se protéger de l'hystérique idole de son idole. Dès qu'elle reposa les yeux sur lui, il détourna la tête. Il avait pour principe de ne jamais regarder les gens en face. Georgia le lui avait fait remarquer et il lui avait expliqué que les visages étaient une barrière à nos désirs. « Détourne-toi des visages si tu veux être libre », avait-il ajouté.

— Bon, accouche, s'il te plaît.

Maryline fit l'effort de se calmer. Elle connaissait l'énergumène et savait que le stress pouvait le faire disjoncter. Il devenait alors ingérable et finissait aux urgences, plié en deux par des spasmes spectaculaires.

— Elle traînait au Joker. Elle nous a demandé de la ramener. Mignonne, putain, mignonne ! Quand je pense qu'elle est morte, c'est dingue. J'arrive pas à faire le lien, tu vois.

— Stop, Flag. Je veux juste les faits. Après, vous avez fait quoi ?

— Elle voulait aller sur la plage mais on n'avait pas envie, on était crevés. Elle insistait lourdement. Herr s'est énervé et il l'a larguée sur la côte sauvage.

— Chez elle ?

— Non, répondit Flag mollement, le regard fuyant.

— Il ne l'a pas ramenée chez elle ? Il l'a larguée sur la côte ? Toute seule ? En pleine nuit ?

— Ouais. Il est comme ça, Herr. Et nous, on n'était pas vraiment en état.

— Tu te rends compte que c'est de l'inconscience pure ? La côte sauvage en pleine nuit, c'est dangereux. Ça ne vous est pas venu à l'idée qu'elle pouvait tomber d'une falaise, non ?

— Elle est tombée d'une falaise ? demanda Flag d'un air niais qui exaspéra Maryline.

— Non, elle n'est pas tombée, cria-t-elle, mais elle est morte quand même. On n'abandonne pas quelqu'un qui a picolé sur cette côte en pleine nuit. T'as quoi là-dedans ? dit-elle en martelant la tempe de Flag. T'as quoi, Flag ?

Ils échangèrent un regard difficile. La case en moins de Flag n'était jamais évoquée entre eux et Maryline venait de faire une vraie gaffe. Il baissa les yeux, démoli par l'insulte.

— Excuse-moi, reprit-elle. Je suis sur les nerfs, tu peux comprendre.

Elle s'assit sur le rebord de la fenêtre pour faire le point.

— Tu me jures que vous n'êtes pas descendus dans la crique avec elle ?

— Oui, s'énerva Flag. On était gelés, on voulait aller se coucher. C'était pas très cool pour la fille mais bon, elle devenait franchement lourde.

— Comment ça lourde ?

— Je ne vais pas te faire un dessin.

Maryline n'insista pas. Le dessin présentant la morte sur les genoux de William, elle préférait ne pas savoir.

— On vous a vus l'embarquer dans la voiture ?

— Je crois pas. J'en sais rien.

— Très bien. Alors tu vas raconter tout ça aux flics. Ils ne vont pas tarder à venir t'interroger, tu ferais bien de te lever.

Maryline avait l'impression de voir le bout du tunnel. Ce que lui avait raconté Flag devait être la vérité puisque ça collait à peu près avec la version de Herr. Elle passa la main sur le poster. William tout en cuir et colliers à grigris hurlait dans un micro qu'il tenait à deux mains.

Flag se leva. Pâle et vacillant, il semblait marcher dans un mètre d'eau.

— Hammersmith Odeon, octobre 93, récita Flag. Ce soir-là, son solo de guitare sur *New York Casbah* est devenu un classique du genre. *Rolling Stone* en parlait encore le mois dernier dans un article sur les *guitar heroes* du siècle. À côté de Jimmy Page, Hendrix et Van Halen, excusez du peu !

— J'y étais, dit-elle en souriant. J'étais enceinte de Georgia.

Maryline posa la main à plat sur son ventre. Elle ferma les yeux. Elle avait adoré cette jubilation barbare des concerts, cette décharge électrique qui lui remplissait l'estomac et remontait vers le cœur. Flag la regarda admiratif puis, silencieux, disparut dans la salle de bains.

Maryline repartit dans l'Austin, plus détendue mais perplexe. Allait-on les croire ? Cette perspective la ramena à Simon Schwartz et son inquiétude redoubla. Comment pourrait-il se fier à un tel trio ? Qu'est-ce qui pouvait lier un antiquaire vieux jeu avec une tête taillée à l'opinel et un vrai regard de menteur, un rocker sur le retour marié à son ex-petite amie et un ancien génie des maths tourné phobique ?

Maryline s'arrêta à la pharmacie en prévision des bobos que Rebecca Merriman allait ramener de sa marche-prière de huit kilomètres organisée par la paroisse dans les marais salants. Elle paya ses sparadraps, se dirigea vers la sortie et se retrouva nez à nez avec Reine Personnic. Elles se sourirent d'abord timidement puis éclatèrent de rire, attirant les regards alentour.

— Je me demande toujours par quel hasard on ne tombe pas sur les gens pendant des années ! dit-elle avec un aplomb sidérant. Elle annula d'un coup et au culot des années de feinte indifférence dans la station où toutes les deux avaient grandi. Sa voix forte était la même qu'autrefois et son énergie aussi. Depuis quand es-tu revenue ?

— Dix ans.

— C'est dingue ! Reine Personnic accompagnait ses phrases de beaux déliés et de moulinets de ses bras nus et bronzés. Dis donc, Georgia est une stagiaire en or, tu peux me croire. Bon, écoute, là, je n'ai pas le temps, reprit-elle, mais vraiment, on se rappelle. Dès que tout ça, elle regarda autour d'elle la volée de touristes qui faisait la queue au comptoir de la pharmacie, sera terminé.

Maryline fit oui de la tête en souriant. Rêveuse, elle regarda Reine Personnic s'éloigner, se dit qu'elle avait un prénom prédestiné et qu'elle serait une amie formidable. La paranoïa liée à la célébrité de William lui avait interdit ces amitiés féminines qui exigent des aveux réguliers qu'elle ne pouvait pas faire. C'était un peu triste car la compagnie des femmes lui manquait souvent. Elle savait qu'Annick et les Miss Merriman de passage ne pourraient jamais remplacer une Reine Personnic. Elle avait pu mesurer les dégâts de sa propre réussite lors des quelques séjours qu'elle avait faits en Bretagne pendant sa période new-yorkaise. Le vide s'était rapidement fait autour d'elle et même son père avait eu de ces regards en biais qui l'accusaient de sinistrer, par comparaison, la vie de son entourage. Elle avait eu la sensation de faire faner tout ce qu'elle approchait. Un jour, dans la vitrine du pressing du port, elle avait vu une de ses robes exposée comme une œuvre d'art et elle avait compris qu'un équilibre s'était rompu dont elle n'avait pas imaginé la fragilité. Ses amies d'autrefois étaient devenues des femmes aux cheveux courts, à la voix forte, de vraies dures. Et Maryline avait pris conscience de son incroyable naïveté en découvrant chez ceux avec qui elle pensait partager son bonheur une jalousie immense qu'elle avait omis d'envisager. À New York, elle avait eu quelques bons moments en backstage en compagnie des autres mannequins. Des amitiés s'étaient nouées, entre deux avions et deux shootings. Toutes avaient des amants riches ou célèbres à montrer ou à cacher et dont elles ne pouvaient parler qu'entre elles. Ni paranoïa ni jalousie ne venaient alors entacher leurs échanges jet-laggés.

Depuis qu'elle était rentrée en France, toujours surprise qu'on apprécie sa compagnie, elle se pensait ennuyeuse. Elle avait l'impression, et c'était en général une source de tristesse quand elle en prenait conscience, qu'on s'approchait d'elle seulement pour s'imprégner de sa beauté qu'on espérait contagieuse. Maryline ignorait qu'elle pouvait se révéler inquiétante à la manière des personnages dans les films qu'on prend en cours de route et dont on ne sait si l'on doit les mettre du côté des bons ou des méchants. Ainsi, dix ans après son retour, elle n'avait pas encore réussi à se faire des amies.

Maryline fut brutalement sortie de ses réflexions par un type qui traversa au feu devant elle. La veille déjà, elle l'avait croisé sur la côte sauvage roulant très doucement dans une voiture de location. En général, elle ne regardait pas les estivants, les trouvait tous pareils mais celui-là n'avait pas l'air d'être en vacances. Ses vêtements n'étaient pas en vacances, son pas non plus et il trimballait une petite sacoche de la taille d'un ordinateur portable au lieu d'un sac de plage. Elle eut l'impression qu'il la fixait derrière ses lunettes de soleil. Elle l'oublia instantanément quand son téléphone portable sonna.

— Rapplique ! aboya Georgia avant de lui raccrocher au nez.

Maryline réprima une furieuse envie d'aller se baigner. Ses pensées sous l'eau étaient toujours moins lourdes qu'à l'air libre. La mer avait le pouvoir de les nettoyer et de les simplifier. Ce serait pour plus tard. Et puis sa crique préférée était soudain devenue impraticable depuis que la morte en avait fait une scène de crime.

— Qu'est-ce que c'est que ça ! cria-t-elle en se garant devant la porte.

Un nombre invraisemblable de valises et de malles encombraient le jardin. L'une d'elles, posée contre un tronc d'arbre et aussi haute qu'un homme, ressemblait à un cercueil. Elle courut jusqu'à la maison. Annick était plantée dans l'entrée, intéressée par quelque chose, pour une fois. Miss Merriman, à côté d'elle, regardait également dans la direction du salon, un peu penchée, sa marche-prière, sans doute, qui lui avait plié le dos.

Sans attendre, Maryline entra dans la pièce. Là, elle trouva installés, une cannette de bière à la main, William, Georgia et deux types, japonais de toute évidence, qui se levèrent d'un bond à son arrivée. Une onde de plaisir traversa le corps de Maryline qui, après tous les incidents détestables de la journée, apprécia sans retenue la courtoisie nippone des deux hôtes. Ils la saluèrent avec de nombreuses révérences dans un français plutôt correct et des sourires en veux-tu, en voilà. William lui présenta Osamo et Daito comme s'ils étaient de vieilles connaissances. Ils se rassirent après Maryline qui prit une poignée de cacahuètes miraculeusement apparues sur la table basse. Elle écouta William énumérer les « spots » de la station avec un humour impeccable. Elle regarda les deux nouveaux venus avec curiosité. Ils étaient très différents de la clientèle habituelle. Daito était beau comme une fille, tête de manga et teint d'Anglaise. Mince et longiligne, il avait cette grâce qui manquait cruellement à Georgia, assise à côté de lui. L'autre Japonais, Osamo, qui pouvait être son père, dégageait une force tranquille de samouraï apaisé, pensa Maryline qui avait toujours été attirée par l'Asie et ses beautés pâles.

On installa les nouveaux venus dans leur chambre et il fut convenu que les malles seraient stockées dans le garage pendant leur séjour. Les deux hommes s'enfermèrent et on n'entendit plus parler d'eux jusqu'au lendemain.

William, Georgia et Maryline dînèrent tous les trois dans un calme relatif. Pas mal d'informations importantes circulèrent entre les plats. Maryline apprit sans surprise que Simon Schwartz avait rendu visite à Herr et à Flag. Ce dernier était actuellement aux urgences de la clinique pour une crise de hernie hiatale « atroce », avait-il dit au téléphone à William. Il lui avait reparlé « des rats vivants qui s'entredévoraient dans son estomac ». Maryline pouffa. Georgia le prit mal et exigea des excuses. Flag avait l'âge mental de Georgia et tous les deux partageaient le même goût pour les vêtements en tas, la glose et les théories fumeuses. Flag avait rafraîchi la mémoire de William à propos de la fille et avait essayé de convaincre Herr de dire aux flics qu'ils l'avaient larguée sur la côte sauvage. « Puisque c'est la vérité », dit Maryline en arrachant à Georgia le plat de pâtes qu'elle s'apprêtait à finir. Puis, Georgia posa des questions. Il fut mis sur la table que Maryline connaissait Schwartz. Elle résuma en trois phrases dix-huit ans de sa vie de jeune fille, avoua dans la foulée qu'elle était allée voir Flag et Herr dans l'après-midi. William parla peu, écouta beaucoup, ne chanta rien. Georgia les bombarda de questions subsidiaires, tout en faisant diversion parce qu'elle était jeune, que la vie en elle débordait de toutes parts et que les enfants uniques se mêlent de tout. Elle parlait fort, remuait, mangeait pour dix tout en tapotant sur son téléphone une interminable conversation à plusieurs. On évoqua brièvement le cocard luisant d'Annick et l'air claqué de Miss Merriman à son retour de pèlerinage. Il y avait eu un sérieux problème d'arbitrage au « 24 heures de la bille » que Reine avait dû régler en plus du reste. Enfin, Maryline apprit que les deux Japonais avaient un « business de vente de produits bretons par Internet », qu'Osamo n'était pas le père de Daito mais son associé et qu'ils étaient aussi artistes de

Kabuki. Georgia n'avait visiblement pas bien compris en quoi consistait le Kabuki mais le mot artiste avait suffi à lui allumer le regard. Elle aida sommairement à débarrasser puis disparut un long moment dans les toilettes du rez-de-chaussée. Maryline prépara la cuisine pour le petit déjeuner du lendemain.

— On sort ? proposa William.

Elle se retourna, croisa son regard. La tête légèrement penchée, il la fixait en souriant, tentative williamienne d'un retour au rêve éveillé, aux good vibrations beachboyish du moment, qu'elle accepta d'encourager. L'enfant qu'il avait été n'était jamais loin et affleurait parfois sans prévenir, dans un sourire ou une ombre de tristesse. Au début de leur histoire, Maryline avait cru que c'était la dope qui lui donnait cet air doux et las de gosse mal réveillé. Avec le temps et l'abstinence, elle s'était aperçue que c'était vraiment lui.

William vérifia son allure en pied dans la glace de l'entrée, veste cintrée, pantalon en velours prune et braguette à lacets en chantonnant un air inconnu de Maryline, dans les aigus et très très gai. Il n'avait pas un cheveu blanc, un effet de sa volonté, pensa Maryline en attrapant les clés de la voiture.

Avant de sortir, William se posta devant la porte des toilettes et entama un pas de canard. D'une voix profonde et cuivrée de jazzman noir, il se mit à hurler de douleur *Constipation blues** en se tenant le ventre des deux mains.

— Fous le camp ! tonna Georgia derrière la porte.

— Oh ! Oh ! menaça William. Honey, Don't piss on Screamin' Jay Hawkings ! Don't piss on the best ever…

Maryline lui fit signe de laisser tomber.

Ils montèrent dans l'Austin décapotée. Même pour faire trois cents mètres, William prenait sa voiture et Maryline avait abandonné toute idée de le faire marcher le long de la côte sauvage pour rejoindre la station. Les narines enfarinées, il avait autrefois aimé chanceler le long du chemin des douaniers mais la réalité imposée par la sobriété l'avait, semblait-il, coupé de la nature et des sensations dangereuses portées par les vents de mer.

Tous les ans, à l'arrivée de l'été, William annonçait son repli jusqu'au 1er septembre mais ne s'y tenait pas. La solitude des grands espaces l'effrayait, pas la foule, si médiocre fût-elle, et il finissait comme les autres à la terrasse des cafés et aux tables de jeu du casino.

Sur le port embouteillé, les occupants des voitures les observaient avec curiosité, il y avait de quoi. Tous deux semblaient en villégiature d'un au-delà dont on ignorait le nom. Ils avaient l'air de rêver, ce qui achevait de décontenancer les vacanciers énervés par le trafic sur le front de mer bouché. Maryline et William ne les regardaient pas de haut, non, c'était plutôt qu'ils ne regardaient rien, comme des photos détourées collées sur un fond blanc. Plus simplement, les ficelles du paraître étaient devenues pour Maryline et William une deuxième nature et le paraître à deux était un art en soi qu'ils avaient eu le temps de peaufiner en vingt ans de vie commune. Ils trouvèrent une place en épi derrière les Halles et marchèrent jusqu'à la promenade du port qui menait à la grande plage. Près du magasin de maillots de bain, Maryline aperçut le type bizarre de l'après-midi et saisit le bras de William.

— Ce type là-bas, elle désigna l'inconnu qui s'approchait d'eux en sens inverse, il te dit quelque chose ?

— Oui, répondit William sans hésitation. Il était au Joker hier soir. Il était tout seul à une table pas loin de la nôtre.

Maryline nota que William avait la mémoire sélective et prit tout à coup conscience du brouhaha qui l'entourait. Comme dans une fête foraine, des musiques contradictoires, bande-son devenue folle, s'échappaient des échoppes et se mélangeaient sur la promenade. Le type passa près d'eux sans les regarder et Maryline se demanda si la morte de la crique ne l'avait pas rendue complètement dingue.

L'odeur de sucre chaud du stand de sucettes maison, spécialité de la station depuis on ne savait plus quand, enroba Maryline dans des relents d'enfance. À côté d'elle, William marchait en écoutant, l'oreille branchée en permanence sur les bruits du monde. Il ne regardait que paresseusement ce qui l'environnait.

— Oh ! non ! Pas ça, s'énerva-t-il en entendant *Tubular Bells* * au milieu du tumulte.

Il pressa le pas en baissant la tête.

Maryline salua au passage deux ou trois des commerçants qui n'avaient pas le temps de lui faire plus qu'un petit signe de reconnaissance. Malgré sa longue absence, la mémoire de son père était sa carte de membre à vie du club très fermé des habitants à l'année de la station. Elle traînait un malaise que la foule, le bruit et la lumière violente des boutiques éclairées au néon amplifiaient. De l'autre côté du quai, plongés dans le noir, le port et ses bateaux, le tintement délicat des drisses qui cognaient contre les mâts l'apaisèrent. Sur la plage, quelques petits groupes d'adolescents rassemblés comme des pingouins fumaient en parlant doucement. Au loin, la baie déroulait sur le front de mer ses immeubles modernes qui ressemblaient, disait William, à un dentier. La mer, toujours là, trou béant et ténébreux, amenait son froid et happait les pensées. À leurs pieds, la plage étalait ses ruines avant le passage des tracteurs et la marée humaine du lendemain.

— Tu sais, William, que nous n'en avons pas fini avec les flics, dit Maryline en s'asseyant sur le sable.

— Maryline, dit-il en allumant une cigarette, peux-tu imaginer une seconde que j'ai tué cette fille ? Peux-tu imaginer une seconde que Flag...

Elle l'interrompit.

— Et Herr ?

— Tu ne vas pas recommencer ? Je ne comprends pas pourquoi tu es allée le voir. Je t'avais dit de ne pas le faire.

— Ah, bon ? Je ne m'en souviens pas.

Ils se turent un moment.

— Tu as vu sa maison ? reprit William. C'est dingue, non ?

— C'est horrible. Son salon est un cimetière.

William caressa l'épaule de Maryline.

— Notre époque le blesse, dit-il. Herr erre dans la modernité, l'amertume cousue au visage.

Content de son enchaînement, William sourit pour lui-même.

Maryline fit une grimace de dégoût.

— Je n'arrive pas à faire le lien. Que peut-il y avoir de commun entre toi, Flag et lui ? Est-ce que Flag lui raconte ses histoires d'intestins ? J'ai du mal à l'imaginer. Et tu lui parles de musique ?

— You know, honey, de nos jours la situation la plus inconfortable pour un homme est d'être sans dieu et sans occupation. C'est un peu notre cas à tous les trois, dit William en caressant le dos de Maryline. Flag voit le monde éclaté comme les mille petits bouts de verre colorés d'un kaléidoscope et Herr le vit en collectionneur. Flag ne rassemblera jamais les morceaux et Herr, en vrai collectionneur, ne pensera qu'à ce qui lui manque.

— Et toi ? demanda Maryline.

— Moi ? William rit de ce rire un peu chargé de ceux qui ont trop tiré sur la corde. Je trouve que tout est devenu un peu trop net. Les images, les sons…

Il n'y avait en général aucune trace d'amertume dans les considérations de William et Maryline s'étonna de cette nostalgie sous-entendue. Quand une brèche s'ouvrait sur de possibles regrets, elle hésitait entre savoir et ignorer. En général, préférant ignorer, elle maintenait l'équilibre mais se coupait d'une partie du cerveau de William où elle ne tenait peut-être pas le beau rôle qu'elle s'imaginait occuper.

— Il y a une femme dans sa vie ?

— Herr ? Oh ! non ! rit William. Je ne le vois pas avec une femme.

— Plutôt avec un homme ?

William, pris de court, eut un moment d'hésitation.

— Non plus.

Il y eut un long silence. Maryline assise contre William suivait en rêvassant le fil lumineux du phare en rase-mottes sur le rivage.

— Ce flic a été ton amant ? demanda William.

— Nous sommes sortis ensemble pendant deux ans avant que je parte aux États-Unis.

— C'est le dernier homme avec qui tu as fait l'amour avant moi ?

— Oui.

— C'est-à-dire que si tu n'étais pas partie et si tu ne m'avais pas rencontré, cet homme serait peut-être aujourd'hui à ma place.

C'était bien là les raccourcis de William, ses trucs à lui qui ressemblaient à des rimes courtes, des textes taillés pour devenir des mélodies. Poétique toujours, mais aussi énervant parce qu'il n'avait pas tout à fait tort. Elle aurait très bien pu faire sa vie avec Simon. Ils étaient adultes tous les deux à l'époque et lui ne demandait que ça.

— Tu l'as quitté pourquoi ? demanda William.

— Je voulais partir et lui ne pensait qu'à rester ici, rivé à la mer, à son voilier, à la pluie.

Maryline aussi était capable de faire rimer des phrases à mettre en musique, pour William qui méritait mieux que la vérité, en tout cas autre chose, et cela depuis qu'il avait tout abandonné pour elle. Simon, le grand adolescent massif de sa jeunesse, qui jouait au football en riant, en riant d'être vivant et de sentir la force de son corps, avait le pouvoir, vingt ans plus tard, de bousiller William. Un William vieillissant, à qui elle avait fait croire qu'il y avait une vie après l'héroïne et qu'il valait mieux vivre longtemps sans musique que mourir jeune sous sa guitare. Maryline soupira, accablée par les non-dits déjà nombreux que la réapparition de Simon venait encore de grossir. Elle n'oubliait jamais que William souffrait d'hypothermie sous l'armure de son humour.

— *Why don't we get drunk* * ? chantonna-t-il d'une voix nasale de country singer.

Il se leva comme un jeune homme et, prenant Maryline par le bras, l'entraîna jusqu'au bar de la plage. On les plaça sans qu'aucun mot soit échangé entre Maryline et Pierre Jubé, le propriétaire des lieux. Pendant les deux mois d'été, les membres de la confrérie locale communiquaient par signes pour ne pas attirer l'attention des estivants sur les privilèges qu'ils s'octroyaient dans leur dos. Ainsi, dans le restaurant bondé, on fit disparaître un petit carton de réservation posé sur une table côté mer avant d'y installer le couple.

William ouvrit le dossier Georgia pour ramener un peu de légèreté dans leur soirée plombée puis il lui parla des Japonais qu'il aimait bien. Deux types qui exportaient des bols bretons affichant des prénoms japonais et cela avec un vrai sérieux nippon avaient tout pour lui plaire. La plupart du temps, il ne s'intéressait pas aux clients des chambres d'hôte, c'était tout au plus une foule de gens indifférenciés qui, année après année, ramenaient du sable dans la maison, riaient bêtement, rougissaient avant de bronzer et de disparaître.

Sous le dais de plein air du restaurant de plage, William s'était assis dos à la salle, une habitude de star qui n'avait plus vraiment de sens. Il continuait à le faire pour le plaisir d'imaginer ce que Maryline, elle, voyait, en suivant les expressions qui se dessinaient sur son visage. Elle était capable de tenir une conversation avec William tout en regardant en limier ce qui se passait derrière lui. Ce soir-là, rien ne semblait attirer son attention et elle sirotait gentiment son Amaretto jusqu'à ce qu'un voile d'inquiétude passe soudain sur son visage. William entendit alors les accords d'une guitare électrique, suivis de quelques applaudissements. Un musicien commença à taper du pied en rythme et à chanter, William n'en croyait pas ses oreilles, *Goin' to Louisiana* * de John Lee Hooker, un de ses hymnes, une pièce intouchable de son panthéon personnel. Maryline avait rivé son regard dans le sien, ordre intimé de ne surtout pas regarder. Derrière lui, on massacrait John Lee Hooker et il n'y pouvait rien. Lui-même n'aurait pas osé y toucher, personne ne pouvait rivaliser avec la voix miraculeuse du bluesman. Personne ne pouvait reproduire son prêche, ses conversations secrètes avec sa guitare, aussi vivante qu'un animal intelligent. John Lee Hooker chantait pour lui-même, on l'écoutait comme on épie derrière une porte, en retenant son souffle, des confidences qui ne sont pas pour nous. William ferma les yeux à défaut de se boucher les oreilles. Énervée par les états d'âme de William, Maryline n'était pas prête à lui passer la moindre fantaisie. Vu les événements de la journée, elle considérait qu'il n'était pas en position de minauder, tout en admettant qu'ils assistaient effectivement à un assassinat.

— On y va, honey ? Je souffre, dit-il en se levant brusquement.

Maryline sortit de son sac un billet qu'elle laissa sur la table et quitta en hâte le restaurant. William la suivit sans un regard pour le type. Maryline garda pour elle l'image du vieux jeune homme bossu aux yeux bleu laiteux de cataracte, penché sur sa guitare décorée de faux marbre et remercia le ciel d'avoir épargné cette image désolante à William.

— Tu crois que pour moi aussi, on écrira « mort dans l'anonymat », le jour où je claquerai ? Tu crois, Maryline ? dit William en allumant une cigarette.

Il éclata de rire, puis marcha derrière elle en silence, jusqu'à la voiture.

Ils passèrent devant la villa Esteraza et notèrent sans en parler que les lumières étaient allumées à l'étage du paquebot. Maryline frissonna en se souvenant des mains de Herr, soignées, souples et volubiles qui dessinaient le contour de ses pensées quand il parlait. Elle imagina ses doigts sur son corps et parla à William de la douceur de l'air pour qu'il l'aide à oublier les mains baladeuses de l'homme.

— Bon Dieu, ce qu'elle est belle ! s'écria Édouard Herr emmailloté dans un drap de bain des aisselles aux mollets.

Assis sur le rebord de la baignoire, il regardait alternativement son reflet dans la glace et son chat Des Esseintes, posé en escargot sur une pile de serviettes. Herr fumait par tous les pores l'eau brûlante de son bain qui s'écoulait par la bonde en rots bruyants. Rêveur, il soupira d'aise, ferma les yeux pour mieux voir la peau blanche de Maryline, parfaite par endroits, qui lui rappelait du papier à grain de très bonne qualité. Il passa une main autour de son cou, là où quelques heures plus tôt Maryline avait passé la sienne sur un collier fin comme un fil de la vierge et qui brillait par intermittence au gré de sa respiration.

— Tu vois, dit-il au chat, la beauté ne sert à rien et c'est pour cela qu'elle nous fascine et nous effraie. Nous ne savons pas quoi en faire. Elle advient ici ou là et elle non plus ne sait pas quoi faire de nous.

Il déroula la serviette, s'aspergea le corps de lotion et se massa des épaules aux orteils en chantonnant, livrant à la vue du félin, yeux mi-clos à la pékinoise, son postérieur blanchâtre tel un cul d'angelot. Toujours nu dans l'étuve de sa salle de bains Art déco, il s'approcha de Des Esseintes, plongea la tête dans le cou de la bête à la recherche d'un parfum poudré que Maryline aurait pu laisser entre deux touffes de poil.

— C'était comment de somnoler entre ses cuisses ? murmura-t-il au chat avant de le virer de la pile de serviettes.

Édouard Herr sortit de son dressing un pyjama en satin rayé vieil or, l'enfila en frémissant puis s'enferma dans sa chambre. Il se coucha, prit sur la table de nuit le catalogue d'une vente de tableaux et cocha deux petits dessins de Constantin Guys dans ses prix. Il tourna les pages, reposa le catalogue, incapable de se concentrer. Il se repassa encore une fois la visite de Maryline, le détail de leur courte conversation. L'image qu'il avait gardée d'elle était d'une remarquable netteté. Un peu fébrile, il chercha dans sa mémoire à qui elle ressemblait car elle lui faisait penser à quelqu'un. Il se releva, sortit de la bibliothèque un gros livre d'art dont il tourna les pages en spécialiste.

— Lady Elizabeth Pope, la femme feuillage, murmura-t-il. Parvenu à la bonne page, il examina le tableau de Peake. Peut-être, dit-il, un peu déçu. Il y a quelque chose dans le décolleté un peu plat, le bleu des yeux, marmonna-t-il.

Il admira le tableau qu'il n'avait pas regardé depuis longtemps, puis claqua le gros volume. Il le replaça dans la bibliothèque, fit quelques pas dans la pièce. Non, plus près de nous, dit-il en tapotant les tranches de ses livres. Moreau, de Nittis, Blanche. Ah ! non ! Ça ne va pas, lança-t-il au chat, trop fin de siècle, trop mortel. Non, il y a chez cette femme... Il chercha l'inspiration en suivant des yeux la frise papyrus qui courait d'un mur à l'autre, se massa les hanches... Il y a chez cette femme une vraie bêtise. Oui, dit-il au chat, cette bêtise qui consiste à vivre comme si on n'allait jamais mourir. Vigée-Lebrun ! Bien sûr ! dit-il en se retournant. La belle Élisabeth ! Évidemment ! Des Esseintes ouvrit vaguement les yeux. Son autoportrait du British Museum ! Herr éclata de rire. Il feuilleta les pages d'un livre sur l'artiste, trouva l'autoportrait et retourna dans son lit. Là, le livre ouvert sur les genoux, caressant son chat d'une main, il contempla longuement, tendu et sérieux, l'autoportrait de cette femme qui se peignait heureuse, en chapeau de paille fleuri. Maryline, plus âgée, portait le masque plus près du visage mais la ressemblance était frappante. Il plaqua une main sur les yeux du chat puis approcha ses lèvres du léger sourire de la portraitiste. Il l'embrassa délicatement. Il resta longtemps assis dans son lit, rêveur. Peu à peu, comme l'eau baveuse d'une aquarelle se répand dans le mauvais sens sur le papier, ses pensées se mélangèrent en couleurs involontaires entre Maryline qui commençait à se brouiller, la visite des policiers et William qui ne lui avait jamais parlé de sa femme. William Halloway s'était bien gardé de montrer son trésor et Herr éprouvait à l'égard du musicien une amertume inédite. Le mystère de Maryline auréolait soudain William d'une lumière différente et jetait une ombre sur leur amitié. Même ce crétin de Flag avait depuis des années eu le droit de la regarder et de lui parler. Édouard Herr eut un long soupir douloureux. Il finit par s'endormir sous le ciel de lit en sycomore, épuisé par son impatience et sa jalousie, écœuré par la vie et ses entêtantes images, une main sur le ventre du chat qui ronflait à côté de lui.

4

Maryline se réveilla heureuse. Le soleil répandait dans la chambre une chaleur jaune merveilleuse. Pas de vent, lui sembla-t-il, et une mer si calme qu'on l'entendait à peine. Puis, très vite, elle retrouva par ordre d'apparition tous ses ennuis de la veille, douleur qu'on croyait disparue avec la nuit et qui reprenait ses sinistres élancements. Elle referma les yeux, soupira longuement, sentit contre elle le corps de William qu'aucun drame ne réveillait jamais avant l'heure. Elle aurait voulu se rendormir mais, au-dessus de sa tête, les pas de Rebecca Merriman l'en empêchaient. La découverte de la morte n'avait rien changé non plus à la routine de la vieille dame qui venait sans doute d'arpenter en marche rapide le chemin des douaniers et tournait en rond dans sa chambre en attendant que Maryline se lève.

Elle se doucha, s'habilla et alla réveiller Georgia. Au rez-de-chaussée, elle trouva la porte d'entrée ouverte. Dans le jardin, les deux Japonais habillés avec goût à sept heures trente du matin regardaient la cime de ses pins centenaires. Le spectacle de ces deux hommes apaisait Maryline. Elle ne prit pas le temps de se demander pourquoi. Miss Merriman était derrière elle, petite souris toujours au taquet, qui réclamait en silence son petit déjeuner.

Annick arriva avec les journaux qui affichaient en page locale la noyade de la fille au tatouage. Maryline apprit qu'elle s'appelait Elyne Folenfant, qu'elle avait vingt-trois ans et qu'elle était née à Laval. Elle avait échoué dans des études de secrétariat et comptait à la rentrée se lancer dans la communication. Elle était venue dans la station balnéaire pour voir sa sœur chez qui elle était logée depuis son arrivée quelques jours plus tôt. Son visage visiblement découpé d'une photo de groupe la présentait souriante. « Les circonstances de la noyade restent, au moment du bouclage de notre titre, encore inexpliquées », concluait l'article. Maryline, pour qui toute forme de réconfort était à prendre, apprécia qu'on ne parle pas ouvertement de l'éventualité d'un assassinat.

Puis, le ballet bien rodé de Maryline, Miss Merriman et Annick se déroula en silence, personne n'ayant envie de remettre l'histoire sur le tapis. La cuisine avait été la veille l'annexe de la scène de crime et il faudrait sans doute quelques jours, pensa Maryline, pour que les lieux retrouvent leur virginité.

Maryline demanda à Annick de prévenir les Japonais que le petit déjeuner était servi mais celle-ci refusa avec force bruits de bouche. Son œil au beurre noir commençait à passer du bleu au jaune verdâtre sous sa couche de crème grasse et Maryline mit un point d'honneur à le fixer en lui parlant. L'autre ne se laissa pas intimider et fit comme si les désirs immédiats de Miss Merriman étaient tout à coup devenus des ordres. Maryline s'occupa elle-même des Japonais, les installa dans la salle à manger et leur fit son meilleur sourire car elle les trouvait formidables. De plus, ils étaient arrivés après le drame et n'en avaient donc reçu aucun stigmate. Elle aurait adoré s'installer à leur table, déjeuner avec eux, parler de tout et de rien. Mais elle n'osa pas et retourna dans la cuisine retrouver ses deux acolytes de circonstance qui lui fichaient un blues collant. Quelques minutes plus tard, Georgia, lourdement descendue du premier étage, entra dans la cuisine. Maryline écarquilla les yeux.

— Ah ! Non ! Pas ça ! cria-t-elle en regardant sa fille de haut en bas.

Découvrant deux grosses cuisses marbrées, Georgia portait un short dit « ras la moule » par son père qui trouvait l'expression très à propos dans la station balnéaire. Elle portait aussi ses bottes courtes, celles de l'hiver précédent qui donnaient l'impression qu'elle marchait dans des seaux.

Dans le dos de Maryline, Annick savourant sa vengeance empilait des tasses avec énergie. Miss Merriman, en authentique Américaine allergique au conflit, se faufila entre Georgia et la porte avant de disparaître.

— Va te changer, dit Maryline à mi-voix, soucieuse de laisser les deux Japonais déjeuner en paix. Je te le demande sans m'énerver, Georgia. Et je te préviens que si tu ne le fais pas, il y aura des conséquences.

Georgia eut un petit rire féroce.

— Dis que je suis grosse, tant que tu y es ! lança-t-elle d'un ton menaçant.

Maryline lui expliqua en détachant chaque mot qu'elle ne pouvait pas aller travailler dans cette tenue et que cela n'avait rien à voir avec son physique. Maryline avait conscience que ce n'était pas simple pour Georgia d'être la fille rondelette de deux parents minces, même si l'époque autorisait tous les excès aux gamines hors gabarit.

— Tu veux finir comme la fille sur la plage ! explosa-t-elle, excédée.

Annick grommela dans son dos et Georgia ouvrit de grands yeux comme si sa mère venait tout à coup de perdre la raison.

— Je ne vois pas le rapport, dit Georgia un peu radoucie.

— Eh bien moi, je le vois et je te demande d'aller te changer !

— Et les conséquences, ce sera quoi si je refuse ? demanda Georgia.

Elle attrapa un croissant sur la table tout en restant à bonne distance de sa mère.

— Je ne sais pas encore mais je trouverai, crois-moi.

— Fait chier ! cria Georgia en sortant vivement de la pièce.

C'était encore pire de dos que de face, se dit Maryline, soulagée d'entendre sa fille remonter l'escalier en direction de sa chambre. Elle n'aimait pas se quereller avec elle et ne voyait jamais l'issue de leurs crises en termes de victoire ou de défaite. Elle n'avait pas oublié ses incessantes disputes avec ses parents. Les plus anodines s'étaient révélées les plus pernicieuses et elle ne voulait pas que Georgia revive ce qu'elle avait connu. Elle avait conscience que derrière tout cela se profilait le spectre de la sexualité de sa fille, ce corps déployé sans pudeur, avec une naïveté délirante qui lui faisait peur. La vie sexuelle de nos enfants, pensa-t-elle, est une vieille histoire qu'on ne s'est pas racontée depuis longtemps. On sait et on ne sait pas. On veut savoir et on ne veut pas savoir. C'est parfois drôle mais c'est aussi triste et même effrayant.

Les Japonais annoncèrent qu'ils avaient des rendez-vous et ne reviendraient pas avant le soir. Annick monta faire les chambres. Seule dans la cuisine, Maryline apprécia le silence et remit à un peu plus tard tout ce qu'elle avait à faire. Elle vit sa fille repasser devant la porte de la cuisine, aperçut en coup de vent des ballerines rouges et une robe courte surmontée d'un visage plus verrouillé qu'une serrure trois points. Elle pensa à Georgia. Elle pensait souvent à Georgia comme tous les parents pensent à leurs enfants en leur absence, calmement et en prenant leur temps. C'était un film à portée de main dont elle choisissait selon l'humeur les images qu'elle se repassait sans jamais se lasser. Elle revit sa fille bébé, née dense et lourde, avec une peau épaisse et sèche, une masse de cheveux raides en baguettes de mikado et des cernes sous les yeux. Maryline l'avait adorée enfant, pataude et maladroite, toujours un peu stupéfaite et boudinée dans ses robes éternellement couvertes de taches de nourriture, de sel collé sur ses bras dodus et de sable dans les replis de son corps de petit sumo. Elle revit Georgia, assise près d'elle sur le tapis du salon entourée de ses Barbies et de leurs multiples attributs. Avec ses gros doigts malhabiles, elle habillait et déshabillait sans se lasser ses poupées raides et grises de crasse à la longue. Elle chaussait les pieds cambrés de ses poupées mortes d'escarpins minuscules rangés dans une boîte à musique qui jouait une valse de Vienne chaque fois qu'elle l'ouvrait. Perdue dans le regard idiot de ses idoles dont elle faisait craquer coudes et genoux pour leur donner des poses de vivantes, suant de concentration, elle murmurait des dialogues romantiques sortis de nulle part. Ken en chemise hawaïenne roulait des pelles en plastique à Barbie en robe de mariée, avant de finir dans une bassine qui faisait office de piscine californienne. Barbie riait et minaudait en regardant son GI Joe sauter avantageusement d'un plongeoir fictif et éclabousser au passage le brushing de sa bimbo en mini-maillot lamé. Les conversations amoureuses passèrent presque du jour au lendemain de l'anglais au français après leur installation en Bretagne. Pendant le sevrage de William, les poupées eurent des moments difficiles et Georgia oublia quelque temps Ken sur une étagère de sa chambre. Puis, il reprit une relation apaisée avec Barbie et recommença à plonger dans sa bassine pour l'épater, comme s'ils ne s'étaient jamais séparés.

— Téléphone, bougonna Annick. Les flics, dit-elle sans masquer l'écouteur.

C'était Simon Schwartz. Il allait passer dans la matinée.

Simon arriva une heure plus tard et trouva sans le savoir une Maryline au fond du trou mais qui affichait un calme d'hôtelière, maîtresse d'elle-même et du ramdam qui agitait sa tête.

Elle lui proposa de prendre un café dans le petit salon qui s'ouvrait en terrasse sur la mer à l'arrière de Ker Annette. Dans cette pièce interdite aux visiteurs, Maryline avait entassé cinq ans plus tôt tout ce qui était susceptible d'attirer l'attention des clients sur leur passé new-yorkais. Bibelots précieux, souvenirs en pagaille des vies antérieures des Halloway étaient cachés là comme on cache qu'on est riche. Ils étaient finalement restés en piles dans le salon d'hiver et n'avaient pas retrouvé leur place d'origine dans la maison.

Maryline ouvrit en grand le bow-window sur un ciel bleu aveuglant et une mer pétillante. De loin leur parvenaient des cris d'enfants, des cris de joie et d'excitation qui en temps normal ravissaient Maryline. Tous les deux hésitaient à s'asseoir, plus vigilants debout.

— Assieds-toi, dit-elle finalement en lui désignant le canapé.

Elle prit place face à lui dans son fauteuil d'hiver qui avait gardé son plaid posé sur un accoudoir.

— L'autopsie a été rapide, dit-il d'un ton neutre. Aucune trace de violence. Elle avait deux grammes dans le sang, ce qui d'après sa sœur n'avait rien d'inhabituel. C'était une fille larguée qui plombait son entourage. J'ai vu tout le monde. À part ton mari qui a des trous de mémoire et Édouard Herr qui a bien du mal à avouer qu'il l'a lâchée sur la côte en pleine nuit, tout ce que j'ai entendu concorde. C'est Étienne Legouic, votre ami Flag, qui a été le plus précis. En fait, je n'ai pas grand-chose contre eux. Tu es contente ? demanda-t-il avec une légère animosité.

— Contente ? Simon, je sors d'un cauchemar, tout simplement.

— Tu connais bien Édouard Herr ? demanda-t-il en essayant de détacher les yeux d'une photo de Maryline enceinte, qui avait en son temps scotché toute la profession.

— Très peu. Je ne l'aime pas. Je n'aime pas le voir avec William. J'ai l'impression qu'ils sont chacun la mauvaise fréquentation de l'autre.

— Mmm, marmonna Simon, pas très intéressé.

Tout à sa découverte de la caverne d'Ali Baba, il semblait avoir oublié la présence de Maryline. Il s'était levé et traînait dans la pièce, attiré par les magazines de mode, les pochettes de disques et les photos empilées. Maryline le regardait faire, prise d'une étrange tristesse, une mélancolie molle. Brutalité et douceur se côtoyaient en un subtil mélange sur le visage de Simon. Elle se souvint de son amour platonique, de sa patience de pêcheur qui somnole en surveillant sa ligne. Il avait été un jeune homme gai mais sans humour. Dans les soirées, il était le seul à qui les joints ne faisaient aucun effet. Il gardait la tête froide toujours un peu en retrait. C'était aussi une époque, se dit Maryline, où filles et garçons ne s'aimaient pas beaucoup. On se regardait avec un vague mépris et les relations étaient douloureuses. Les parents étaient mutiques, les profs gifleurs, et on grandissait dans des survêtements hideux. Le rire était méchant et moqueur, on se rendait compte du mal qu'on faisait et on le faisait quand même. Maryline et Simon avaient eu en commun une mère morte jeune, à quelques jours d'intervalle et deux pères amis, inconsolables et perdus. Quelques jours après l'enterrement, il avait embrassé Maryline avec la fureur de celui qui grille toutes ses cartouches d'un coup. Il l'avait embrassée violemment et avait laissé sur son visage la trace de ses larmes avant de partir en courant. Puis, il avait dû attendre trois ans de plus pour la toucher de nouveau, avec son assentiment cette fois. Ils avaient seize ans. Maryline avait eu d'autres aventures avant lui mais c'est Simon qui lui fit entrevoir pour la première fois le fond du monde. Elle comprit dans ses bras l'infini pouvoir des femmes.

Simon était un homme compact et solitaire, l'inverse de William qui lui, se promenait depuis vingt ans sur le corps de Maryline avec des mots magiques et des effleurements, propageant une vie légère poudrée de drogue et de paillettes, un rêve tordu et beau. Simon lui, sentait la mer, énervait comme le vent du large et il était sa jeunesse. Elle se dit que Simon était quelqu'un à qui on appartenait ou rien, alors que William n'avait jamais eu aucun sens de la propriété.

— Je ne comprends pas pourquoi tu es rentrée en France. Vous aviez une vie...

— Non, Simon ! Ne t'y mets pas toi aussi. Nous avons mené une vie de nantis qu'on prenait pour des voyous. C'était comme dans n'importe quel milieu, tu sais. Il y avait des pères de famille, des dépressifs, des radins, des pédophiles, des bosseurs et des fainéants. Sauf qu'ils avaient leurs têtes en photo sur des pochettes de disques et dans les magazines.

Elle se mit à parler du passé, le regard perdu dans la mer. Elle lui avoua qu'elle n'avait la paix que lorsque William enregistrait en studio. Seulement dans ces moments-là elle était sûre de savoir où il était. Alors, William devenait un bourreau de travail et ne pensait plus à traîner. Elle lui raconta que le pire c'était les tournées. Les musiciens étaient aussi inconscients que des gosses lâchés dans la nature. Tout le monde voulait jouer avec eux et prendre du bon temps. Il y avait toujours des petits malins qui voulaient être ceux par qui le groupe avait découvert une nouvelle dope ou toute autre connerie inédite. Elle le retrouvait en tournée quand elle avait du temps mais elle n'aimait pas ça. Les musiciens se méfiaient d'elle.

— Le rock est un milieu aussi macho que n'importe quel autre, tu sais. On y parque les égéries.

Simon retenait son souffle. Il avait l'impression que ce que lui disait Maryline était formulé pour la première et la dernière fois, qu'il devait absolument se souvenir de tout.

Elle lui raconta qu'après les concerts il fallait continuer, ne pas éteindre les lumières et que William était incapable de s'arrêter. Il y avait eu beaucoup de morts et la fille sur la plage avait fait remonter de mauvais souvenirs. Simon lui demanda comment ils s'étaient rencontrés.

— Sur une plage de Cape Cod. Je faisais des photos pour une publicité et il était dans le coin pour voir ses parents.

Elle expliqua à Simon que William venait d'une très vieille famille de Boston. Elle n'avait rencontré ses parents qu'à de rares occasions. Ils l'avaient d'emblée cataloguée nuisible pour leur fils, sans rien en montrer. On l'avait fait taire à coup de sourires de convenance. Ensuite ils étaient partis pour la France et ils ne les avaient pas revus.

— Dans son milieu, on ne se fâche pas, c'est vulgaire, dit-elle, d'un ton moqueur. On disparaît avec élégance et c'est ce qu'il a fait. La mère de William était une femme dure, ajouta Maryline, de celles qu'on ne trouve que là-bas, cintrée dans une armature. Elle semblait avoir cinquante ans pour l'éternité. Son père était un géant maigre et muet qui dissimulait mal sa haine pour son fils.

— Il est heureux ici ? demanda Simon.

— Parfois j'ai l'impression qu'il se consume d'ennui. À d'autres moments je me dis qu'il est content d'être encore en vie. Je ne sais pas.

— Au fond, tu t'es occupée de ton père et maintenant tu t'occupes de ton mari, de ta fille et de tes clients.

Simon avait rompu d'un coup le charme dans la pièce éblouissante. Il en prit conscience en parlant et accepta le désastre. Il se détourna, sentit dans son dos la déception de Maryline.

Elle avait quitté Simon radicalement, presque du jour au lendemain pour partir à New York, à cause de cette vieille rage de Simon qui finissait toujours par affleurer et tout gâcher. Comme quand il était enfant et détruisait par orgueil les châteaux de sable qu'il avait mis des heures à construire, parce qu'il ne voulait laisser aucune trace de son plaisir et de son obstination.

Elle se leva, ouvrit la porte.

— Qu'est-ce qui va se passer maintenant ? William ? hasarda-t-elle.

— Je crois que je n'ai rien à lui reprocher, dit-il en regardant Maryline avec insistance. Cette fille est descendue dans la crique, elle a voulu se baigner et elle s'est noyée. Elle est morte vers quatre heures du matin, trois quarts d'heure après le retour de ton mari.

Il s'arrêta dans le couloir, se retourna.

— Autre chose, dit-il. Ta femme de ménage se fait taper dessus par ses portes d'armoires ?

— Simon ! murmura Maryline.

— Elle refuse de t'en parler, bien sûr.

Maryline soupira.

Sur le perron, après lui avoir dit au revoir, il lui saisit violemment le bras.

— Maryline ! c'était un cri larvé, de la douleur pure, l'annonce d'une tuile, d'une mort, celle de sa tranquillité, sans doute, pensa Maryline paniquée.

Elle comprit que Simon n'avait rien perdu de sa détermination. Il fonçait toujours dans les murs, se blessait, s'abîmait et recommençait comme une machine sans mémoire. Mais cette main qui lui tenait le bras avait autrefois touché son ventre et son visage. Maryline se sentit rougir jusqu'aux cheveux d'un mélange de rage impuissante et de pur plaisir.

— Je ne sais pas quoi te dire, Simon. Va-t'en, s'il te plaît.

Elle referma la porte derrière elle, se retint au portemanteau de l'entrée pour ne pas tomber. Implacable, le miroir du couloir lui renvoya son visage épouvanté. Elle resta sans bouger, attendit un moment et la tempête se calma. Alors qu'elle passait près de la cuisine pour monter dans sa chambre, elle s'arrêta net. Adossé au buffet, William chantait, les yeux rivés à ceux d'Annick. Plaquée contre le Frigidaire, le plus loin possible de lui, elle le regardait avec terreur.

We'll hold hands and then we'll watch
the sunrise
From the bottom of the sea
*But first, are you experienced ?**

Bouche ouverte, tous les deux tournèrent la tête dans sa direction. Maryline eut l'impression de voir deux psychotiques en pleine crise de démence. Pour Annick qui ne s'était jamais éloignée de plus de quelques kilomètres de la mer, William était l'alien parmi les aliens. Elle ne s'était pas vraiment habituée à l'excentricité de William et se raidissait à l'approche du dandy qui en jouait plus ou moins finement. Maryline les abandonna à leur folie à deux et monta dans sa chambre pleurer un flot de larmes accumulées depuis la veille, plus quelques cris de rage pour éloigner Simon de sa maison. De la fenêtre, elle entendit la mobylette de Flag sur les graviers de l'allée, puis les pas de Flag et de William jusqu'au studio qu'ils refermèrent derrière eux.

Elle passa une robe sur son maillot de bain et fila jusqu'à la grande plage. Elle trouva une petite place près d'un jeune couple. Elle regretta d'être venue. Il y avait un monde fou, beaucoup de bruit et la mer était basse. Elle eut un coup au cœur en apercevant à la terrasse du bar de la plage l'inconnu qu'elle n'aimait pas. Elle l'observa et se dit qu'elle s'était inquiétée pour rien. Le type buvait tranquillement une bière en lisant le journal, tout à fait indifférent, en vacances finalement. Elle retira sa robe, s'enduisit de crème solaire et s'allongea sur sa serviette. Les yeux fermés, elle entendait son cœur battre un peu vite dans ses oreilles. Elle entendit une voix de jeune fille proposer en criant des glaces et des beignets et se souvint qu'elle n'avait pas mangé. Plaquée au sol par le soleil, elle se leva un peu brusquement, mit sa serviette en paréo sur ses hanches et marcha jusqu'au bar pour acheter un sandwich. Elle passa devant la table de l'inconnu, le fixa pour le mettre mal à l'aise et le pousser à la faute. Il croisa les bras et la salua. Prise au dépourvu, Maryline le toisa comme elle l'avait fait autrefois en marchant sur les podiums, notant au passage qu'il semblait insensible à l'intimidation. C'était la deuxième fois en deux jours qu'on ignorait son charme. Elle allait devoir se poser les bonnes questions, se dit-elle, pas vraiment inquiète. L'homme portait une chemise blanche, une barbiche taillée, un bracelet brésilien, indices que Maryline emporta pour plus tard.

Elle retourna sur la plage, cala son sac en oreiller derrière sa tête et mangea son sandwich. Elle sentait le regard de l'inconnu dans son dos alors que des enfants la frôlaient en faisant du stem entre les estivants. Elle avait décidé de ne penser à rien mais c'était impossible. Simon revenait à la charge avec son ombre large et ses paroles blessantes. Pourquoi lui avait-elle raconté ses souvenirs ? Et pourquoi lui avait-elle fait un tableau aussi glauque de sa vie à New York ? Pourquoi n'avait-elle rien dit de l'inépuisable énergie de William, de son art de la fugue et des apartés, des vers de Shelley qu'il lui murmurait à l'oreille au fond des boîtes de nuit ? Et l'argent, qui coulait de partout, toujours plus, sans jamais savoir combien exactement et pour combien de temps. Sa vie Williamienne avait eu une fastueuse légèreté, c'était un bal costumé qui n'avait pas de fin, un bal des têtes où chacun veillait à rester beau. Il lui était déjà arrivé de déjouer les fantasmes qu'on leur collait sur le dos comme des dossards de gagnants, pour différentes raisons. Avec Simon, elle l'avait fait pour le préserver d'un bonheur blessant mais elle avait pris le risque de raviver ses espoirs. Les cuisses en feu, elle se retourna sur sa serviette. Quelle est la part de l'autre dans l'amour que nous lui portons ? se demanda-t-elle. Simon n'était-il pas juste une réminiscence ? Une réinvention d'un passé un peu oublié. Elle essaya d'imaginer la vie qu'elle aurait eue avec lui mais rien ne vint. Elle se dit qu'il n'y avait pas de hasard. Ils n'avaient eu en commun que la mer, leur mère morte en même temps et un désir fou l'un de l'autre que Simon avait pris pour autre chose. Qu'avaient-ils fait tous les deux à part rester des heures devant la mer comme devant la télé et faire l'amour dans les criques ?

Elle reçut une gerbe d'eau fraîche sur les jambes, se redressa et s'aperçut que la plage était clairsemée et la marée presque haute. Elle se demanda si elle avait dormi, remarqua que l'inconnu avait disparu de la terrasse et que le couple était parti. Son téléphone sonna dans son sac. Miss Merriman, très excitée, lui demandait de la rejoindre devant le casino. Elle avait quelque chose de très important à lui montrer. Sonnée par le soleil et sa mémoire malmenée, Maryline remonta sur son vélo et fila retrouver sa vieille amie.

Miss Merriman l'attendait en sautillant. Maryline se demanda en la regardant trembloter sous son chapeau si l'Américaine ne devenait pas un peu gaga.

— Venez, dit-elle en la prenant par le bras.

Maryline se laissa guider sans s'apercevoir que Miss Merriman s'arrêtait devant la vitrine du magasin d'antiquités d'Édouard Herr.

— Regardez, dit l'Américaine en pointant le doigt sur un petit présentoir en velours noir.

— Ça alors ! dit Maryline.

Elle reconnut immédiatement la bague des Verchueren.

— J'ai d'autres modèles à l'intérieur ! susurra une voix derrière leur dos. Entrez, je vous en prie.

Herr s'effaça pour les laisser passer.

Maryline s'assombrit. Elle ne voulait pas entrer mais Miss Merriman ne résistait jamais à aucune invitation.

— Dites-moi, demanda la vieille dame sans préambule, cette bague, vous l'avez depuis longtemps ?

Herr regarda la bague d'un air perplexe.

— Non. Elle vient de rentrer. Très jolie pièce. C'est une tank en platine, or jaune et or rose. Il retourna la bague, la mit sous le nez de Miss Merriman. Les poinçons de garantie tête d'aigle et mascaron, vous les voyez ? Tout y est.

Herr ponctuait ses phrases d'un rire vide. Maryline avait souvent rencontré ce rire-là chez les mal à l'aise chroniques. Il avait valeur de ponctuation, se transformait parfois en toux, pour varier. Virgule, point-virgule, point. C'était un rire écran à la gêne, qui vous tyrannisait.

Miss Merriman essaya la bague Verchueren sous le regard soucieux de l'antiquaire.

— D'où vient-elle ? demanda l'Américaine.

— Eh bien, je l'ai achetée...

— À une estivante, lança Miss Merriman qui n'en pouvait plus de tenir sa langue.

— Oui, hésita Herr.

— Une femme blonde, avec un nez comme ça ? Elle prit son nez entre ses doigts et en releva l'extrémité.

Herr regarda Maryline. Il semblait l'appeler à l'aide.

— Oui, peut-être.

— Madame Verchueren ?

— Oui.

— Elle était seule ? insista l'Américaine.

— Oui, je crois. Je ne comprends pas, où voulez-vous en venir ?

Miss Merriman regarda Maryline d'un air satisfait.

— C'est une cliente, expliqua Maryline. Un petit problème que nous venons de régler.

Herr fit une grimace d'impuissance puis leur proposa une tasse de thé. Miss Merriman acquiesça sans attendre. Maryline annonça qu'elle n'avait pas beaucoup de temps. Il leur proposa deux fauteuils en vente qui ressemblaient à ceux qu'elle avait vus chez lui. Miss Merriman posa son chapeau de paille sur ses genoux, soupira comme une jeune femme heureuse.

— Vous avez de très beaux tableaux, dit-elle. Je suis toujours à la recherche de jolies choses pour ma maison de Boston.

Rebecca Merriman pouvait en quelques secondes devenir la femme la plus snob du monde quand les circonstances en valaient la peine.

Contraint d'écouter la vieille dame raconter ses récents achats de tableaux, Herr arborait une fine grimace fixe, signe extérieur d'une patience malmenée. Il regardait Maryline par à-coups.

— Nous avons de très beaux musées aux États-Unis, lança Miss Merriman.

— Je ne vais plus au musée, répondit l'antiquaire en ne s'adressant qu'à Maryline. Je ne supporte plus les gens et leurs bruits. Les musées ressemblent à des parkings souterrains et ils ont des bruits de parkings souterrains. D'autres penchent, nous entraînent au pas de course. Ils sont faits pour ces hordes qui font des travellings avec leurs téléphones. Un jour, il y aura des tapis roulants pour aller encore plus vite.

Maryline sentit que Miss Merriman cherchait son regard, interloquée. Herr avait l'air d'un homme lui aussi lancé sur un tapis roulant déréglé, qui prenait de la vitesse d'une façon inquiétante.

— Il n'y a plus que les monastères, les abbayes où vous avez la paix, reprit-il. Une fois votre ticket payé, vous ne voyez plus personne. Les lieux sont à vous. Il rit. Aujourd'hui, on met des vigiles dans les magasins pour garder des pots de crème. Un bas-relief de mille ans ou un merveilleux gisant valent moins qu'un chiffon coloré démodé l'année prochaine.

Miss Merriman hoqueta doucement puis il y eut un long silence. Maryline repensa à la phrase de William à propos de l'amertume de Herr. L'amertume est une panne, se dit-elle. L'amertume ressemble au surplace des rêves. On arpente inlassablement le même centimètre, on racle du talon un sol épuisé. Elle avait eu très peur que William tombe dedans après son départ des États-Unis et cela n'avait pas été le cas. Elle ne l'aurait pas supporté. Elle pensait que l'amertume et la mélancolie qui allait avec donnaient aux gens un sentiment d'injustice qui les rendaient fous. Ils avaient besoin de convaincre les autres que le passé était bien mieux car ils y étaient seuls et c'était invivable. En tout cas, se dit-elle, amer ou pas, William, lui, se fichait de rester en tête à tête avec ses vieux trophées.

Maryline, intriguée, écoutait l'homme monologuer. L'étiquetage facile du nouveau riche qu'elle lui avait collé, le snobisme forfaitaire et le mépris d'usage étaient des raccourcis dont elle ne pouvait plus se contenter. Elle était également persuadée que Herr avait tué Elyne

Folenfant et cette impression la taraudait. Elle ignorait comment, pourquoi, se disait qu'elle ne connaîtrait sans doute jamais la réponse maintenant que Simon lâchait l'affaire mais quelque chose en elle lui disait « tu brûles » dès qu'elle y réfléchissait. Elle se demanda si Herr faisait parfois l'amour et avec qui. Une femme qui ne faisait pas l'amour n'en faisait pas un plat, pensait-elle, alors qu'un homme qui ne faisait pas l'amour était un homme malade.

— J'aime que le temps et les circonstances agissent à ma place et m'exaucent, dit-il. Je suis très patient.

Maryline avait perdu le fil et se remit sans tarder dans la conversation. Miss Merriman, d'évidence, pataugeait.

— Avez-vous remarqué qu'il est presque impossible de peindre les dents ? demanda la vieille dame en observant un petit portrait d'enfant rieur.

— En effet, répondit Herr. Quelques-uns y parviennent. Je pense à Vigée-Lebrun par exemple.

— Ah oui ? répondit Miss Merriman, qui n'en avait d'évidence jamais entendu parler.

Maryline regarda sa montre, ostensiblement. Une vague panique agita Herr qui reprit sans attendre.

— On s'est un jour rebellé contre la tyrannie du beau, souffla-t-il en dodelinant. Mais la laideur, Madame, est une autre tyrannie et celle-là est abyssale. Miss Merriman opinait. Pourquoi diable s'est-on mis un jour à se méfier de la beauté comme d'un dangereux somnifère ?

Miss Merriman prit un air perdu d'interrogé qui ne connaît pas son cours. Tout cela me désole, ajouta Herr. Ce casse-tête me fait mal. Je me vois ravalé au triste rôle du bourgeois d'Apollinaire qui riait bêtement devant les toiles de Cézanne ou de Degas. C'est un sentiment très désagréable, voyez-vous.

Miss Merriman ne savait pas quoi dire et Maryline laissait le poisson tourner en rond dans son aquarium.

— Au fond, soupira-t-il, le monde est ainsi fait et bien fait qu'on le quitte finalement sans regret parce qu'il nous est devenu étrange et étranger. Les enfants partent au moment exact où ils doivent partir et on n'aime plus quand nos corps deviennent inmontrables.

Miss Merriman ouvrit des yeux immenses, Maryline sourit involontairement.

Herr se leva brusquement. Les deux femmes le suivirent jusqu'à l'entrée du magasin.

— Enfin, je ne perds pas espoir, rit-il en ouvrant la porte du magasin d'antiquités. Il n'y a que les couleurs et la mort auxquels on ne peut rien, n'est-ce pas ? Revenez demain, dit-il à Miss Merriman, je viens de recevoir deux très jolies marines qui pourraient vous plaire.

Miss Merriman raccompagna Maryline jusqu'à son vélo.

— Crazy or not crazy ? demanda l'Américaine en posant délicatement son chapeau sur sa permanente.

— Je ne sais pas, répondit Maryline.

Elle se garda de lui confier son aversion mêlée d'une folle attirance pour cet homme inclassable. Il était désespéré et Maryline aimait les hommes désespérés. William était désespéré, Simon était désespéré, Herr aussi était désespéré.

Maryline enfourcha son vélo et laissa Miss Merriman rentrer à pied, podomètre en bracelet et énergie de détective privé. Elle se dit que la Verchueren avait peut-être quitté son mari et passait à l'instant même du bon temps avec l'argent récupéré de la vente de sa bague. C'était une pensée réjouissante.

Arrivée devant Ker Annette, Maryline aperçut son voisin Dominique Rival qui lui faisait des signes discrets de derrière son portail.

— Tu as une minute ? lui demanda-t-il.

Maryline le suivit jusqu'à la maison. Rival était le malheureux propriétaire de la villa la plus laide de la côte sauvage, un cube sans toit à la manière des stations Esso qui longeaient la Nationale 7 dans les années 1960, hernie en béton armé sur le chemin des douaniers.

Il lui avança une chaise dans la cuisine, balaya comme une poignée de miettes le chat assis sur la table. Maryline eut une pensée amusée pour William que les intérieurs bretons affligeaient. Il était horrifié par le mobilier rustique et ne supportait pas plus le goût des jeunes générations pour le style « hôpital public », disait-il, et qui lui glaçait le sang. Le décor de la station Esso de Rival était une subtile horreur rustique éclairée au néon. L'armoire monumentale d'où Rival sortit deux tasses était un cas d'école.

— Tu peux nous laisser, demanda-t-il à son fils qui traînait dans les parages.

Erwan Rival vida les lieux à contrecœur pendant que son père servait le café.

— Salut Erwan ! lança Maryline du ton un peu viril qu'elle adoptait avec lui.

Le Q. I. d'Erwan était un mystère bien gardé. On mettait sur le compte de « l'ennui des petites villes de province » la multitude de conneries mineures qu'il commettait dans le voisinage. Outre sa propension à faire hurler sa radio sur la plage à côté des estivants excédés, il volait un peu, emmerdait les filles et c'était délicat car il était immense avec des battoirs à la place des mains. Il fumait aussi du shit dont les effets se démultipliaient dans sa tête mal rangée. L'été précédent, il avait fait une inquiétante fixette sur une jeune cliente de Maryline, l'épiant de la fenêtre de sa chambre, la prenant d'assaut dès qu'elle sortait de Ker Annette. La fille en avait parlé à sa mère qui voulait appeler la police. Maryline et Rival, anciens camarades de classe et au fond du fond de leur cœur ligués contre l'envahisseur, avaient réglé le contentieux avec une extrême douceur. Maryline avait réussi à persuader la mère d'oublier sa plainte et Rival de son côté avait inscrit Erwan au club nautique pour lui changer les idées jusqu'à la fin des vacances. La vie avait repris son cours, on avait retrouvé le souffle retenu pendant quelques jours très tendus. Maryline et Rival avaient recommencé à se saluer de loin, riches tous les deux d'un respect mutuel désormais indéfectible.

— Schwartz est venu tout à l'heure, dit Rival.

Au nom de Simon, Maryline eut l'impression de décoller de son siège.

— Qu'est-ce qu'il te voulait ? demanda-t-elle.

— Il m'a posé des questions à propos de la fille sur la plage.

— Ah bon ? Je croyais que l'enquête avait conclu à la noyade accidentelle.

— C'est pas l'impression que j'ai eue, poursuivit Rival en jouant nerveusement avec son briquet.

Deux non-dits rendaient la discussion malaisée. Maryline avait du mal à mettre Erwan sur le tapis et Rival, qui avait fait toute sa scolarité avec Maryline et Simon, savait qu'ils avaient eu une histoire ensemble.

— Qu'est-ce que tu penses de tout ça ? demanda-t-il.

Maryline comprit qu'elle devait éclaircir les choses, au moins en ce qui concernait Simon.

— Je ne sais pas à quoi il joue. Moi, il m'a clairement dit que William n'était pas soupçonné. Pour le reste, je ne sais pas trop.

Rival regarda par la fenêtre, l'air préoccupé.

— Je n'ai pas pu lui assurer qu'Erwan était dans son lit au moment où la fille s'est noyée, dit-il.

Rival avait l'air découragé. Maryline tenta de le rassurer, lui répéta ce que Simon lui avait dit à propos du cadavre qui ressemblait plus à celui d'une noyée qu'à celui d'une femme qu'on aurait assassinée.

— Il a questionné Erwan ?

— Oui ! répondit Rival un peu choqué.

Rival prenait régulièrement la mesure du soupçon de débilité qui entourait son fils comme une bulle tremblotante. Simon s'était comporté avec Erwan d'homme à homme et Rival avait apprécié.

— Ils se sont enfermés dans la chambre, reprit-il. Je n'en sais pas plus, le gamin ne veut rien me dire.

— Tu crois qu'il était dehors ? demanda Maryline.

Rival réfléchit longuement, le regard immergé dans sa tragédie personnelle.

— Quand il n'est pas dehors, il est à la fenêtre avec ses jumelles. Il a peut-être vu quelque chose et c'est pour ça que Schwartz l'a cuisiné.

Maryline soupira.

— Ne t'en fais pas, dit-elle gentiment.

Le chat avait repris sa place sur le dessous-de-plat au milieu de la table.

— Dès que quelque chose va de travers, c'est toujours moi qu'on vient voir, dit-il amèrement.

— Non, Simon fait son enquête, c'est normal. Tu habites toi aussi à quelques pas de la crique. Rival n'avait pas l'air convaincu. Tu savais qu'il était flic ? demanda Maryline en se levant.

— Oui, répondit-il en évitant son regard.

Maryline et Rival se saluèrent sur le pas de la porte, très vite et un peu gauchement. Rival « les accumulait », disait souvent Annick, qui de la cuisine avait une vue imprenable sur la station essence. Elle n'avait pas tort. Responsable du stationnement dans le port de plaisance, Rival avait laissé sur son portail un « chien méchant et perspicace » mort quelques années plus tôt et vivait seul avec son fils depuis la défection de sa femme partie faire sa vie ailleurs. Quant à Maryline, elle se demandait souvent comment son voisin s'arrangeait avec l'amour.

5

Planqué un peu plus loin dans sa voiture, Simon vit Maryline sortir de chez Rival et traverser la rue. Il attendit un moment avant de descendre dans la crique que quittaient les derniers estivants. La mer était haute et la plage réduite à la portion congrue. Il s'affala sur le sable, épuisé. Il n'avait dormi que deux ou trois heures depuis qu'il avait revu Maryline. Le cataclysme avait été assez violent pour faire de chaque minute passée un théâtre sans relâche où tout se mélangeait. Il échafaudait des scénarios fous alimentés par une multitude de souvenirs précieux et précis où Maryline avait alternativement vingt, dix, cinquante ou trente ans. Il entendit le tintement des cloches, sept heures du soir en été. Simon aimait l'affolement particulier des sons au bord de la mer qui, portés par le vent, colportaient leur message urgent partout où ils pouvaient s'engouffrer. C'était le vent qui l'avait fait revenir, disait-il, après quinze ans à Strasbourg sans mer et sans odeurs, le vent qui portait les émotions, trimait sur nos sens pour les tenir éveillés. Il respira à fond puis s'accroupit à côté des ruines d'un château de sable ambitieux, arrêté en route ou détruit par un jaloux. Deux cyclistes en plastique avaient été oubliés sur le chemin de ronde de la bâtisse moyenâgeuse. Il les prit et les fourra dans sa poche.

De la maison en surplomb lui parvenait par bribes déchirées le son de la guitare électrique de William qu'il prit comme un avertissement, l'ordre intimé d'aller voir ailleurs. Simon balança une poignée de sable sur un bébé crabe translucide. Le temps était en train de changer et dans le ciel les nuages filochaient en vitesse, de gauche à droite dans son champ de vision. Allongé sur le sable, Simon posa ses mains sur son ventre, ferma les yeux.

Quand il pensait à elle, à peu près tous les jours depuis vingt ans, la première image qui lui venait à l'esprit était presque toujours celle de Maryline assise sur ce banc d'église, où, pendant toute leur enfance, il avait eu l'assurance de la voir, de la frôler et de la sentir. Le père de Maryline, médecin de la station, et le père de Simon, professeur de mathématiques au collège, jouaient respectivement de l'orgue et de la bombarde. Ils se produisaient dans l'église du bourg tous les premiers jeudis du mois, répétant un répertoire immuable et restreint d'œuvres écrites pour ce duo improbable et breton. Maryline et Simon enfants y étaient allés contraints, puis pour faire plaisir à leurs vieux pères déboussolés devenus vieux garçons excentriques, puis parce qu'ils avaient appris à aimer ça. Maryline et Simon étaient nés là, la mer coulait dans leurs veines, le sel avait définitivement blanchi leur peau et tous les deux sentaient à l'année le chien mouillé. Ils mourraient là, c'était écrit et c'était tout ce que les cantiques bretons leur rappelaient dans l'église généralement frappée par un vent diabolique ou une pluie méchante. Simon croyait alors en Dieu par intérêt et se réchauffait en regardant les cierges allumés. Il se souvint de sainte Lucie dans son vitrail, qui, l'air penché, le regardait avec compassion, bon augure visionnaire de son bonheur possible auprès de Maryline. De l'autre côté de la nef, saint Pierre sur son nuage tenait ferme sa croix renversée et le foudroyait de sa hauteur virile. Le cri aigu de la bombarde déchirait les cœurs en survolant l'autel, enroulait les vieux amateurs d'un voile médiéval enchanté et faisait tanguer le chalutier en bois qui surplombait la nef. L'instrument hurlait à la place de Simon l'amour fou qu'il vouait à cette Mélusine, si proche, si loin et dont il recueillait, près de l'oreille, le souffle calme comme une confidence faite à lui seul.

Maryline n'avait jamais joué avec Simon, il en était convaincu. Elle avait seulement à faire ailleurs et il devait se débrouiller pour se trouver là où elle allait, la regarder et emporter des images qu'il collectionnait. Au calme dans la crique désertée, il les fit passer devant ses yeux à la manière d'un diaporama. Maryline riant aux éclats et passant la main sur sa bouche pour en effacer une joie trop voyante, Maryline en rang dans la cour, plus grande que les autres, les cheveux pleins de nœuds depuis que sa mère était morte, Maryline qui patinait sur le bitume devant Ker Annette, pendant qu'assis au bord du trottoir, il la regardait glisser, pied gauche, pied droit, pied gauche, pendant des heures. Elle le laissait attendre sans méchanceté et sans malice. Et, champion de la souffrance, il en redemandait encore et encore.

Quand il lui avait fait l'amour, la première fois, il avait senti dans son crâne quelque chose casser net, une tension très ancienne née avec son attachement pour Maryline et qu'elle avait anéantie brutalement après en avoir été la cause. Pendant des jours, Simon avait eu l'impression de tanguer puis la vie avait pris une autre forme où Maryline n'était plus celle qu'on désire mais celle qu'il faut garder. C'était une autre bataille, qu'il avait perdue celle-là et dont il souffrait encore comme un chien, vingt ans après. Le spectacle de sa vie à Ker Annette avec William et Georgia avait réactivé cette terrible sensation de rejet qui lui avait fait refuser toute invitation sérieuse depuis vingt ans. Et même si Maryline semblait en avoir bavé, c'est avec quelqu'un d'autre qu'elle avait choisi de le faire. Simon se tourna sur le côté, serra les poings et les dents. Il était fatigué, de vivre, de penser toujours à la même chose. Recroquevillé sur le sable, il poussa un cri d'impuissance et d'épuisement, prêt à mourir tout de suite pour que cesse la douleur. Dans sa poche, son téléphone sonna. Il se redressa, décrocha :

— Allô, Simon, c'est Maryline.

Après sa visite chez Rival, Maryline eut un coup au cœur en passant devant le studio. Elle crut à une hallucination en apercevant par la fenêtre la silhouette de l'inconnu de la plage. Elle ouvrit la porte du studio sans frapper et croisa le regard du type, bien réel, qui mangeait du cake avec William et Flag.

— Oh ! Honey ! lança William, très en forme semblait-il. Je te présente Christophe.

Le type ne prit pas la peine de se lever, salua Maryline de loin. Elle interrogea William du regard. Incapable de cacher sa surprise, elle regarda avec une insistance hautaine l'adolescent attardé et mou qui se goinfrait de son cake. Encore une mouche à merde, pensa-t-elle, à deux doigts d'exploser. Elle se dit qu'il suffisait qu'elle tourne le dos, qu'elle relâche la pression pour que les importuns mettent un pied dans la porte. À supposer que ce fût encore un journaliste en quête de bonnes histoires, qu'est-ce qui avait pris à William de laisser entrer celui-là ?

Elle avait de quoi être perplexe car depuis que William était William, il avait toujours haï les journalistes. D'autant plus ceux qui venaient, in situ, lui sucer ses souvenirs. Il ne se passait pas un mois sans qu'un type téléphone ou se déplace pour obtenir de William un rendez-vous systématiquement refusé par Maryline qui faisait barrage. William trouvait aussi pénibles les livres écrits par les musiciens de sa génération, baisés la plupart du temps par des « pseudo-historiens du rock pointilleux et rigides », disait-il, qui finissaient par imposer leur vision personnelle d'une époque qu'ils étaient trop jeunes pour avoir connue. William les comparait à des concierges qui savaient tout sur tout le monde, colportaient des ragots et racontaient la plupart du temps n'importe quoi. Ça les faisait marrer, disait William amer, qu'untel ait claqué d'overdose dans les chiottes d'une boîte de L. A. et ça les faisait bander que ce soit sous un tag « get high ». « Ces suceurs de sang », enfin ceux qui pouvaient se le permettre, ajoutait-il, vivaient avec des clones de Marianne Faithfull ou de Courtney Love et se gardaient bien de mourir d'overdose. Parfois bluffé par les informations qu'ils arrivaient à obtenir, William se demandait comment ils s'y prenaient. Ces types qui furetaient dans les dunes avec l'idée d'aborder William connaissaient toutes les chansons par cœur, les siennes et celles des autres, les dates, les lieux, les pirates, tels des employés zélés du fisc ou des notaires, disait Flag qui leur ressemblait quand même un peu. Ils connaissaient la vitesse au compteur avant le pliage définitif sous un dix tonnes, les marques de fringues, la dope, les filiations au jour près, les procès, les adultères. Cinglés et obsessionnels comme des collectionneurs de vignettes Panini, ajoutait Flag, qui n'aimait pas partager son totem.

Ledit Flag, en l'occurrence, faisait la gueule, tassé au bout du canapé du studio. Il regardait Maryline, bouée de sauvetage à laquelle il se raccrochait car lui non plus, semblait-il, ne comprenait rien au revirement de William.

— Je peux te voir une seconde ? intima Maryline.

Elle sortit du studio, bientôt rejointe par William. Il marmonna un ridicule *give peace a chance* à l'oreille de Maryline qui détestait Lennon presque autant que lui.

— Tu peux m'expliquer ? lui demanda-t-elle.

— Yes, honey. I can. William sourit gentiment. Christophe est un ami d'Harvey. Ça m'a fait plaisir d'avoir de ses nouvelles.

— Tu te fous de moi.

— Pas du tout. Tu sais qu'Harvey est devenu transsexuel ?

— C'est ce type qui t'a dit ça ?

— Oui, il l'a rencontré l'année dernière dans un bar de L. A.

— Harvey ? Transsexuel ? demanda Maryline.

Harvey avait été le deuxième et dernier batteur du groupe de William, une armoire à glace qu'il était difficile d'imaginer en robe avec des seins.

— Franchement, William, j'ai du mal à comprendre. Qu'est-ce qui te prend tout d'un coup ?

William dégagea une mèche qui couvrait la joue de Maryline, caressa sa bouche d'un doigt.

— One day, Maryline, one day, you'll have to stop worrying. I'm a big boy now.

Il retourna au studio sans attendre. Maryline, blousée, resta un moment devant la porte. En remontant l'allée, elle tomba sur Osamo qui arrosait les hortensias. Le voile sombre se déchira un peu sur ce coin de calme qui semblait être une spécialité du Japonais. Maryline s'approcha de lui.

— Quand vous arrosez mon jardin, Osamo, vous arrosez vraiment mon jardin, dit-elle en souriant. Vous me donnez l'impression de ne jamais faire plus d'une chose à la fois. Osamo rit. Elle lui caressa doucement le bras sans réfléchir puis se dit qu'on avait envie de toucher cet homme-là comme une amulette. Vous avez vu ma fille ? demanda-t-elle en se dirigeant vers le perron.

La réponse d'Osamo se perdit dans le jardin. Maryline croisait déjà Georgia qui vidait dans la poubelle de la cuisine des détritus venus, semblait-il, de sa chambre.

— Je range ma chambre, dit-elle, d'un ton peu amène et qui défiait d'avance tout commentaire.

Après les allusions de William à son attitude protectrice, l'activité anormale de sa fille acheva de la perturber. Jamais on n'avait vu Georgia ranger son environnement post-atomique.

Maryline s'enferma dans sa chambre avec l'impression que les choses tournaient bizarrement mais aussi qu'elles pouvaient très bien tourner sans elle. Elle n'en ressentit aucune tristesse, juste une vague sensation d'inutilité qui ne pesait pas lourd à cet instant précis. Depuis son retour, elle tripotait son téléphone dans la poche de sa veste. Il lui brûlait les doigts. Elle chercha au plus profond d'elle-même la force de résister, paumes plaquées sur ses yeux fermés. Maryline s'inventait la possibilité d'un choix, l'éventualité d'une alternative. Elle respectait ce protocole qui consistait à peser le pour et le contre, mais, une heure plus tard, les colonnes étaient toujours vides.

Elle se releva, fit le numéro de Simon.

— Allô, Simon, c'est Maryline.

Simon était déjà là. Elle aperçut d'en haut sa veste claire sur le fond sombre de la crique, leur « crique d'été », un peu plus loin sur la côte où ils se retrouvaient autrefois parce qu'elle était bien cachée et surtout boudée par les estivants qui la trouvaient inquiétante. Maryline dévala la pente jusqu'à la plage.

Tremblant des pieds à la tête, Simon, affreusement inquiet, regarda Maryline débouler en gamine insouciante. Il ne fallait pas réfléchir, il le savait, il s'y essayait depuis qu'elle l'avait appelé, mais on n'efface pas d'un revers de main vingt ans de gamberge sur un échec. Maryline dut le sentir et freina à quelques centimètres de lui, attendant que le feu passe au vert. Il se produisit alors ce retour de confiance absolue et qui ne meurt jamais, miracle intime qui règle en un instant et au millimètre les corps qui se sont connus. Simon s'approcha de Maryline, la serra contre lui. Elle sentait le chien mouillé et il en pleura, planqué au creux de son épaule. L'un essayant de porter l'autre, ils tombèrent sur le sable, éclopés et aussi gauches que des mômes qui copient les adultes. Il n'était plus d'actualité de déguiser ses sentiments et chacun vit la panique dans le regard de l'autre. L'irréparable était en cours, d'évidence prévu depuis deux décennies, à un ou deux ans près.

Simon s'allongea sur le sable et Maryline se posa sur son corps, délicatement. Il ne tremblait plus mais pleurait sans se cacher en la regardant dans les yeux. À chaque respiration, Maryline réprimait un cri, un hurlement primal d'amour pour cet homme malheureux qu'elle avait négligé. Il avait pris possession de sa jeunesse, il savait tout ce qu'elle avait oublié, il portait en lui son âme de jeune fille et sa vitalité perdue. Couché sur le corps de Simon, elle sentit qu'elle lui avait toujours appartenu sans le savoir. Ils restèrent longtemps plaqués l'un sur l'autre, incapables de bouger. Enlacés comme des désespérés sur un radeau de fortune, gelés et malades de leurs sensations fortes, chacun attendait de l'autre ce qu'il crevait de faire sans en avoir la force. Soudain tenaillé par l'angoisse de la reperdre, Simon prit le visage de Maryline dans ses mains, l'embrassa avec une rigueur maniaque, une frénésie d'obsédé. Maryline fermait les yeux, hurlait en silence son désir contre ce corps qu'elle aimait alors plus que tout. Elle se souleva sans le quitter des yeux, tâtonna jusqu'à sa ceinture qu'elle desserra.

— Attends, murmura Simon en détournant le regard, comme on supplie pour une pause entre deux tortures.

Maryline prenait, seconde après seconde, la mesure de la souffrance de Simon et dont elle était l'unique responsable. Pendant vingt ans, il avait vécu avec ça alors qu'elle passait sa vie à ne jamais penser à lui. C'était une impression atroce. Elle regarda longuement son profil dans la nuit, ses yeux bleus qui regardaient ailleurs. Elle sentait sous son ventre celui de Simon qui battait fort, ses jambes fortes contre les siennes. Une immense tristesse s'empara d'elle, une compassion violente, une redoutable envie de réparer.

— Pardon ! Simon. Pardon ! cria-t-elle en le forçant à la regarder. Je ne savais pas.

Simon reconnut dans le regard de Maryline ce tremblement des criminels qui prennent soudain conscience de leur acte, un voile d'horreur qui passe devant leurs yeux et les coupe momentanément du monde.

— Tu te souviens, dit Simon doucement en caressant la joue de Maryline. Tu te souviens de ma mère qui disait toujours qu'elle regrettait que tu ne sois pas sa fille. Je ne comprenais pas pourquoi elle disait cela à l'époque. Je l'ai compris tout à l'heure quand je t'ai vue descendre sur la plage. Nous avons des souvenirs de frère et sœur, Maryline, ce sont des souvenirs magnifiques. La nostalgie m'a un peu empoisonné, elle m'a fait disparaître de ma propre vie, j'ai vécu pour toi pendant des années. Je l'ai voulu, Maryline, je l'ai voulu et je ne t'en ai jamais voulu. Je suis un solitaire et ton absence m'a convenu.

Maryline caressa doucement la joue de Simon. Elle ne croyait pas un mot de ses explications. Elle connaissait sa fierté, son impatience déguisée en bouderie, son indifférence feinte quand elle sortait avec d'autres. Simon était redoutable et vulnérable. Il avait tenu tout ce temps, entêté et buté, apercevant chez les autres l'amour qu'il ne voulait faire qu'avec elle. C'était un vrai gâchis, une catastrophe et ils le savaient tous les deux.

Simon rit alors de ce rire d'autrefois, formidable et plein de panache. Il releva la jupe de Maryline et la pénétra sans la quitter des yeux. Il voulait voir son plaisir, en être sûr. Simon qui avait vécu sur ses souvenirs connaissait l'importance de l'instant qu'on fait durer, après. Et ce moment-là ne devait jamais disparaître, il devait en photographier chaque millimètre et chaque microseconde, enregistrer sur le visage de Maryline les traces du plaisir qu'il lui donnait. Mais la réalité de Maryline domina ses fictions et Simon, oubliant son besoin d'engranger, accepta enfin d'être seulement là. Il ressentit une vague immense lui monter du ventre vers le cœur et qui devait être la définition parfaite du bonheur quand il est donné aussi sauvagement qu'il est reçu. Il fit corps et âme avec Maryline, vendit sa peine au diable et au prix fort. Ils jouirent ensemble puis restèrent un long moment l'un dans l'autre sur la petite plage déserte.

Peu à peu, la vie reprenant ses droits sur eux, Maryline frissonna et Simon regarda ailleurs, abruti tout à coup par une vertigineuse tristesse. Maryline était allongée là, à côté de lui. Elle avait quarante ans, elle était belle et il ne savait pas quoi faire de cette femme à qui il avait consacré un autel personnel et voué un culte dans un coin de sa tête où jamais personne n'était allé. Maryline sentit le malaise, posa une main sur le cœur de Simon.

— Je n'ai rien à t'offrir, Maryline, dit-il doucement. Je n'ai pas de fric, pas de maison, rien qu'un voilier qui pourrit dans un hangar et des souvenirs d'enfance.

— Et ça, dit Maryline en posant sur son ventre un des cyclistes en plastique, tombé de la poche de Simon.

Simon sourit, fit tourner le cycliste autour du nombril de Maryline.

— Un jour, reprit-il, tu m'as dit que tu pouvais passer des heures sur ton canapé à penser à quelqu'un.

— Ah oui ? sourit Maryline, surprise.

— Je crois que c'est ce jour-là que j'ai définitivement lié ma vie à la tienne. Je ne pensais pas à moi, je n'imaginais pas que tu pensais à moi pendant des heures mais je suis tombé fou de tes rêveries.

— Tu as plus de souvenirs de moi que moi, Simon. Quand je suis rentrée en France, j'ai pensé que tout reviendrait mais rien n'est revenu. Des bouts de sensations, de vagues images très décevantes. Je n'ai pas eu ta jeunesse, tu sais. Tu avais eu plus de chance que moi à la grande loterie.

Simon, calé sur un bras, sentait revenir comme un baume prodigieux leur ancienne intimité, cette parole facile et simple qu'ils avaient toujours eue. En effet, Maryline n'avait pas eu de chance. Elle avait tiré le mauvais numéro et écopé d'une famille triste et d'une mère pas à la hauteur. Laide et pourrie d'allergies, il se souvenait d'une femme qui se grattait sans cesse, frénétiquement. Elle disait du mal de tout le monde et Maryline en avait honte. Il revit Maryline au cimetière, au-dessus de la fosse, les dents serrées sur les invectives qui lui débordaient de la bouche contre cette femme qui avait enfoncé ses gros pouces dans la chair tendre de sa fille afin de la modeler à son mauvais goût.

— À quoi penses-tu ? demanda-t-elle en promenant le petit cycliste le long du bras de Simon.

— À ta mère.

— Oh ! fit Maryline, comme si elle venait de se brûler. Tu sais, il est inutile de penser à elle. Elle est partie avec ses secrets et ses haines. Ne remue pas ça. Pas ce soir.

Maryline se rappela alors la maison de Simon, antidote à la tristesse de sa propre enfance. L'amour y circulait sans conséquence, en petites caresses rassurantes et en courants d'air frais. On le sentait en passant, aussi léger que les notes du piano que jouait sa mère à quatre mains avec son oncle. Chez les Schwartz, on acceptait facilement les interdits car ils étaient à la mesure des plaisirs qu'on vous autorisait. Les adultes jouaient aux cartes et c'était un enchantement pour Maryline de voir des adultes s'amuser. À l'époque, elle était amoureuse de la famille de Simon, pas de Simon qui n'était qu'un sésame pour passer sa vie chez lui. Plus tard, après la mort de sa mère, elle avait appris à le faire exister pour lui-même.

— J'ai encore envie, dit-elle en l'enlaçant.

Il se mit à pleuvoir des cordes qui giflaient le dos de Simon. Ils refirent l'amour en connaissance de cause, sous une pluie battante. Le message subliminal était passé entre eux, un pont avait été monté à la hâte entre passé et présent. Quant à l'avenir, ils savaient tous les deux qu'ils ne se quitteraient plus.

Simon ramena Maryline au portail de Ker Annette. Des trombes d'eau s'abattaient sur le pare-brise et Maryline n'arrivait pas à partir. Elle regardait sa maison gondolée par la pluie, soudain indifférente à son devenir et à ce qui s'y passait. C'était un sentiment inconnu contre lequel elle n'avait pas envie de lutter.

La tête tournée dans la direction de la maison de Rival, Simon pouvait voir le reflet des jumelles d'Erwan derrière la fenêtre de sa chambre.

— Regarde, dit-il, il nous observe.

— Pourquoi es-tu allé chez Rival cet après-midi ? demanda-t-elle.

— Je suis allé récupérer le sac d'Elyne Folenfant.

— Quoi ? cria Maryline.

— Erwan l'avait planqué dans sa chambre.

— Tu le savais ?

— Je me doutais qu'Erwan était dans les parages au moment où elle s'est noyée. Erwan est toujours dans les parages. C'est un mateur.

— Mais…

— Je ne pense pas qu'il ait quoi que ce soit à voir dans cette histoire. Il est possible que personne n'ait à voir avec sa mort, d'ailleurs. Il a juste piqué le sac et oublié de prévenir son père qu'il y avait une fille morte sur la plage. Il m'a dit qu'il la croyait endormie.

— Tu crois ça ?

— Rebecca Merriman aussi m'a dit qu'elle l'avait crue endormie quand elle l'a découverte. Pourquoi la croirais-je plus qu'Erwan ?

— Qu'est-ce que tu as trouvé dans son sac ?

— Les mêmes antidépresseurs qu'on a trouvés à l'autopsie. Rien d'intéressant.

— Tu m'avais dit que tu allais clore l'enquête, reprit Maryline après un silence.

— J'ai un sentiment d'inachevé. Il eut un rire las. L'inachevé, c'est un peu ma spécialité.

Elle tourna la tête vers lui, submergée par la tristesse qui enrayait la voix de Simon. Elle l'embrassa passionnément, comme on couvre un visage pour lui cacher les réalités du monde.

Simon la regarda remonter l'allée, trempée et la tête haute. Maryline restait la femme magnifique qu'il avait connue, une femme qu'on pouvait attendre pendant des années sans jamais douter de l'absurdité d'une telle entreprise. Il regarda ses jambes remonter lentement le perron avant de disparaître dans la maison. Des cannes de serin, sourit-il. On le lui répétait sans cesse, enfant, qu'elle avait des cannes de serin. Maryline a des cannes de serin, Maryline a des cannes de serin ! Elle s'en foutait et continuait à patiner sous la pluie, droite, gauche, droite, toujours dans son rêve.

Simon resta un moment devant le portail. Erwan avait disparu de la fenêtre en même temps que Maryline derrière sa porte d'entrée. Il sortit les cyclistes de sa poche, les posa sur le tableau de bord. Le cycliste en maillot rouge, dossard numéro 12, avait tourné autour du nombril de Maryline. C'était le challenger. On n'avait pas misé un kopeck sur lui et on avait eu tort.

Quelques minutes plus tard, une voiture s'arrêta un peu plus loin d'où sortirent William et un type blond que Simon avait déjà repéré dans le coin. William serra la main de l'inconnu puis courut jusqu'à la maison. L'autre remonta dans sa voiture, démarra. Simon attendit quelques instants et suivit la 306 de location à distance respectable.

6

Il régnait dans la maison une ambiance particulière. Maryline reconnaissait chaque année à la même date ce feutrage soudain des bruits, des intentions et des mouvements. On faisait comme si ce n'était pas son anniversaire mais tout dans l'air du petit matin sentait sa conspiration qu'elle devait, cela faisait partie du rituel, feindre de ne pas voir. Miss Merriman soudain fiévreuse avait un besoin urgent de voir un médecin à Nantes. Elle voulait en profiter pour faire des courses avec une Maryline qui devait tout accepter comme si elle n'avait rien prévu d'autre pour la journée. Maryline avait noté que William faisait semblant de dormir et que Georgia s'activait déjà dans sa chambre. Seul Simon, hors-jeu et hors confidence, lui envoya un message, dès sept heures du matin, pour ses quarante-deux ans.

Annick étant en retard, Maryline prit son café seule dans la cuisine. Elle se demandait quelle attitude adopter avec Georgia. En rentrant la veille, elle avait vu de la lumière sous sa porte et surtout entendu des voix, des rires étouffés, une féminine et une masculine.

Titouan, le copain de Georgia, étant pour l'heure à Barcelone, Maryline avait pensé au beau Daito. Il y avait un monde entre le Japonais gracieux et le petit ami officiel de sa fille. Sarouel « crotte au cul », aimait dire William, champion régional d'ultimate, très content de lui, Titouan baladait dans la station ses cheveux filasses et blonds jusqu'au milieu du dos et entretenait avec Georgia des relations mouvementées. Pour l'heure, le Breton semblait bien loin des préoccupations de Georgia et Maryline ne donnait pas cher de son avenir chez les Halloway.

Maryline tournait en rond dans la cuisine, regardait par la fenêtre, écoutait les bruits, agitée, inquiète et aussi étrangement indifférente. Simon lui manquait, il n'y en avait plus que pour lui et tous les gestes du quotidien sonnaient faux. Plus rien ne coulait de source. Elle avait la sensation de devoir réfléchir à tout ce qui la veille encore se faisait sans même y penser.

Annick finit par arriver avec une heure de retard et sans s'excuser, grise d'étouffement, fermée à clé, inapprochable. Maryline pensa à son mari qui avait dû la corriger pour une énième faute inventée par son cerveau malade.

— Qu'est-ce qui ne va pas ? demanda Maryline en passant.

— Il est convoqué au commissariat, vomit-elle.

Le mari d'Annick n'avait pas de nom. Il était « il », ou « l'autre », selon le degré de détestation.

— Pourquoi ? demanda Maryline avec sa voix la plus douce.

Elle craignait que le fil invisible et rare tendu entre elles deux ne se brise trop vite.

— Ils l'ont attrapé hier à la sortie de Batz. Il a soufflé dans le ballon et ils l'ont obligé à rentrer à pied.

— Ah, oui ? Ils l'ont pris près de la boîte de nuit ? Pas étonnant, dit Maryline.

— Non. Ils lui ont dit qu'ils étaient venus pour lui.

Elles se doutaient que Simon était dans le coup mais il n'était pas question d'aborder le sujet de front. Maryline ne voulait pas perdre sa femme de ménage et Annick son bon salaire.

— On va lui sucrer son permis, ce n'est pas un drame, dit Maryline.

Elles échangèrent un regard lourd. Le permis sucré allait se transformer en cauchemar pour Annick qui allait payer cher l'outrage.

— C'est peut-être l'occasion...

Annick sortit de la pièce en trombe pour ne pas entendre la suite.

Maryline soupira. Elle ne supportait plus qu'on touche à Annick. C'était une enfant dans un corps de femme, grosse par misère et revêche par timidité. Elle se souvenait d'avoir côtoyé à l'école les semblables d'Annick, ces filles de ferme stupéfiées, ces boules de souffrance qui regardaient la bouche béante un monde auquel elles ne comprenaient pas grand-chose. De pères sommaires et brutaux, de mères dures de naissance, grandies avec des frères et sœurs qui ne se parlaient pas, Annick et ses congénères étaient des professionnelles de la solitude, la vraie, celle qui ne se voit pas et qu'on traîne derrière soi comme une mauvaise odeur. Interdite de sensualité dès l'enfance, ses cheveux courts, noirs et parfois huileux lui donnaient un côté garçonnet très troublant. Elle avait le teint légèrement framboisé des femmes qui picolent, mais, Maryline en était sûre, Annick ne picolait pas. Dure au mal et traînant les pieds, elle avait une infinité de bruits de bouche, de langue et de gorge, qui formaient un langage complexe que les Halloway avaient appris à décrypter. Quand elle parlait, c'était en phrases courtes, balancées à la pioche comme des mottes de terre. Simon était un ange, il avait fait sans lui dire ce qu'elle attendait, même si c'était inutile car il y a des êtres maudits qui foncent sur tout ce qui les tue.

Georgia, quant à elle, fut ce matin-là d'une gentillesse surréelle, actrice d'un spectacle comique donné rien que pour Maryline. L'adolescente s'assit dans la cuisine à côté de sa mère, caressante, voire mielleuse, du grand art. Elle raconta qu'elle avait passé la soirée avec Osamo, Daito, Miss Merriman et Flag, qu'ils avaient joué au Pictionary jusqu'à « pas d'heure ». Contre toute attente, c'est Miss Merriman qui avait gagné. « Elle dessine, c'est dingue, une vraie artiste », s'étonna Georgia. Ils avaient aussi fait une dégustation de bocaux de caramel au beurre salé que les Japonais avaient rapportés de la coopérative.

— Tu sais que Daito a appris le français en lisant les albums de *Tintin*, dit Georgia, des trémolos dans la voix qu'elle n'arrivait pas à dissimuler. Vous aimez les caramels mous ? rit-elle en roulant des yeux fous. Vous aimez les caramels mous ? dit-elle à sa mère, cette fois un peu agacée.

— Si j'aime les caramels mous ? demanda Maryline, perplexe.

— Mais non, s'énerva Georgia en levant les yeux au ciel. C'est dans *L'Étoile mystérieuse*, le vieux fou. Vous aimez les caramels mous ? Vous aimez les caramels mous ? Mon petit oiseau en sucre, ça ne te dit rien non plus ? Maryline fit une grimace d'impuissance. Et toi, tu étais où ? demanda Georgia, désabusée.

— Il y avait une réunion à la mairie à propos de la régate des vieux gréements.

— Ah bon ? Reine ne m'en a pas parlé. Elle y était ?

— Non. Il n'y avait presque personne.

Maryline mentait avec une aisance qui la sciait. Elle n'éprouvait aucun remords et regardait sa fille sans ciller.

— Osamo est génial, reprit Georgia pour parler de Daito sans parler de Daito. Après la partie de Pictionary, il a fait des massages à Flag et lui a expliqué comment méditer pour endormir les animaux qu'il avait dans le ventre. Il lui a parlé d'un dieu japonais qui est né d'une crotte de nez. Je ne suis pas sûre, en fait. En tout cas, ça a beaucoup plu à Flag. Je te jure, il est reparti transformé. C'était comme si on lui avait repassé le visage au fer. Il était lisse. Osamo a aussi parlé de papa. Il nous a dit qu'il voyait en lui un véritable disciple zen, qu'il dissimulait sa lumière. Une sorte de samouraï qui pratiquait la voie sans le savoir.

Maryline se demanda comment le samouraï William prendrait les choses quand elle lui parlerait de Simon. Mentir à Georgia était une chose mais mentir à William était une autre paire de manches. Il avait des radars et il serait inutile de lui cacher ce qu'il avait peut-être déjà deviné.

Miss Merriman était aux anges. Pour pouvoir tranquillement préparer l'anniversaire de Maryline, on lui avait confié la responsabilité de l'éloigner de Ker Annette jusqu'au soir. Elle avait en prime l'assurance de ne pas être seule une seconde. Rebecca Merriman avait vieilli d'un coup dix ans plus tôt et compris en quelques semaines que désormais tout était exclusivement de son ressort. Vivre ou mourir ne dépendait plus que d'elle, qui ne dépendait plus de personne. Parfois, lorsqu'elle se couchait et qu'elle était à court de stratagèmes pour la journée du lendemain, elle priait Dieu qu'il la fasse mourir gentiment dans la nuit. Pour l'heure, elle bichait, assise à côté de Maryline dans l'Austin Hayley décapotée. La pluie partie avec la nuit avait nettoyé la côte qui brillait comme de l'inox briqué. Elles prirent la quatre-voies et rejoignirent Nantes en à peine une heure. Maryline déposa l'Américaine chez le médecin, gara la voiture et s'installa sur une terrasse, au calme.

Elle appela Simon qui lui confirma qu'il allait cuisiner le mari d'Annick. Mollo, le pria-t-elle. Puis il lui dit qu'il l'aimait et qu'il ne la lâcherait plus. C'était exactement ce qu'elle voulait entendre car elle perdait par instants le sens de cette nouvelle réalité. Il y avait désormais Simon dans sa vie. William et Georgia revenaient sans cesse à la charge, en surimpression. Il fallait mener deux existences de front et chacune bataillait pour prendre le dessus.

— Tu savais que Herr avait eu du sursis dans une affaire de harcèlement ? demanda Simon.

— Non !

— William ne t'en a pas parlé ?

— Non, Simon ! Je te l'aurais dit. Raconte.

— C'est allé si loin que la femme a fait une tentative de suicide. Elle a craché le morceau à l'hôpital et il a été arrêté dans la foulée.

— Qui était cette femme ?

— Il l'avait rencontrée au casino, une femme seule qui louait à l'année sur le front de mer. Elle l'avait plaqué assez vite et il avait commencé à la harceler. Elle m'a dit au téléphone que la place de Herr était à l'hôpital psychiatrique et qu'elle ne comprenait pas pourquoi il était toujours dans la nature. Je ne lui ai pas parlé d'Elyne Folenfant mais elle l'a fait. Elle a tout de suite pensé à Herr quand elle a lu la nouvelle dans le journal.

— Simon, dès que j'ai vu ce type, j'ai été persuadée qu'il avait tué cette fille. Je ne saurais pas te dire pourquoi, c'est une intuition.

Simon soupira, il y eut quelques secondes de silence.

Maryline suivait machinalement du regard une mouette qui se rengorgeait. Elle ilôtait en arpentant inlassablement l'arête d'un toit.

— Tu sais, il faut faire attention, reprit Simon. Herr n'est pas fou. C'est le genre d'homme qui provoque chez les femmes une tension particulière, une peur qui ressemble à un charme morbide et je ne peux pas l'accuser d'un crime pour cela. On n'est jamais obligé de suivre les gens.

Maryline entendit des bruits dans le téléphone, des gens arrivés dans le bureau de Simon. Il raccrocha très vite. Elle garda le téléphone sur son oreille un moment, ferma les yeux. Simon la hantait comme la caresse d'un chemisier en soie sur la peau, qui nous rappelle sa douceur à chacun de nos mouvements. Elle but son café lentement, se repassa sa nuit dans la crique avec Simon, commença à imaginer des phrases pour expliquer à William qu'elle en aimait un autre. C'était des phrases raides et artificielles qu'il allait falloir travailler et habiter à la manière de tirades au théâtre. Des gens passèrent qui la regardèrent sans discrétion. Maryline leva la tête, s'aperçut que la mouette était encore là, concierge assumée sur son toit de prédilection. Elle se revit enfant avec Simon sur la terrasse du premier, à Ker Annette. Au creux de l'hiver, quand l'ennui devenait une seconde peau, ils observaient les oiseaux de mer. Simon disait que les oiseaux ne rêvassaient jamais, qu'ils étaient affairés et qu'ils avaient toujours quelque chose d'urgent à finir. Il ne pouvait pas admettre que les oiseaux ne vivaient que pour manger. Maryline voulut le rappeler, heureuse de se souvenir soudain de quelque chose mais Miss Merriman approchait en trottinant, penchée un peu vers la droite, son « oreille interne », disait-elle.

Elles firent le tour des magasins du centre-ville, achetèrent de quoi justifier leur sortie nantaise puis Maryline laissa l'Américaine choisir un restaurant à son goût. Elle opta pour un italien dans une rue piétonne. Miss Merriman avait ritualisé sa vie et elle suivait au restaurant une procédure au cordeau et immuable. À peine entrée, ignorant les serveurs qui voulaient la guider dans la salle, elle repérait en un clin d'œil la disposition des tables, la probabilité des courants d'air, la porte des toilettes, des cuisines, les climatiseurs, les radiateurs et le trajet des serveurs. Enfin, elle trouvait sa place et quittait les lieux si on la lui refusait. Ce jour-là, elle choisit une petite table d'angle en terrasse, bordée d'un muret fleuri de plantes en pots. Une fois assise, un autre rituel succédait au précédent. Elle déplaçait son verre de presque rien, dépliait doucement sa serviette, reniflait, remettait sa mèche en place. Maryline savait déjà qu'entre chaque plat elle referait les mêmes gestes, avec la même concentration lente, dans l'autre sens, serviette repassée du plat de la main, verre glissé sur la table, cheveux matés derrière les oreilles. Elles commandèrent puis, sans se concerter, fixèrent un couple qui, une table plus loin, tâchait du mieux possible d'éviter de se regarder.

Miss Merriman s'approcha de Maryline, lui murmura en anglais à l'oreille :

— C'est affreux ces couples qui s'éteignent dès qu'ils sont seuls. Il suffit qu'ils se sachent regardés et ils s'animent à la manière des automates. On s'éloigne et leurs mains retombent, mortes le long de leur corps.

Maryline comprit que le déjeuner allait se dérouler en V.O. et en fut soulagée. Elle savait par William que l'Américaine s'était mariée tard avec un homme d'affaires qui avait déjà un fils. L'homme était mort et Miss Merriman avait perdu de vue le jeune homme qu'elle avait élevé pendant quelques années. Maryline avait noté sa solitude à son téléphone portable qui lui servait presque exclusivement de montre.

— Il vous est déjà arrivé de perdre la tête ? demanda Maryline de but en blanc.

Miss Merriman la dévisagea longuement.

— Non, je n'ai jamais perdu la tête. En revanche, je me souviens exactement des quelques occasions où j'aurais pu le faire.

— Pourquoi ? demanda Maryline en regardant le couple éteint.

— J'ai toujours donné trop d'importance aux autres et c'est sans doute pour cela que je n'ai jamais cédé à mes désirs. Perdre la tête, voyez-vous, c'est refuser de laisser quiconque décider à votre place, reprit Miss Merriman. D'ailleurs, on ne perd pas la tête, on ne fait que changer d'avis. Ce sont les autres qui pensent que nous devenons fous. Vous comprenez ? À mon âge, cela veut dire quelque chose. Je suis parvenue à ce moment de la vie où plus personne ne vous regarde, où les gens parlent devant vous de choses intimes sans se soucier que vous les entendiez. Vous savez, ma chère, nous passons notre vie à protéger les autres d'eux-mêmes, à essayer de comprendre de quoi sont faits ceux que l'on rencontre. On finit toujours par s'apercevoir que les personnalités indéchiffrables le sont parce que nous ne parvenons pas à savoir comment eux nous voient. Et finalement, reprit-elle après un rire, cette opacité entre les hommes, c'est très bien ainsi. Vous vous rendez compte, si nous savions ce qu'on pense de nous, nous serions tous morts de chagrin ! Alors, perdez la tête, perdez la tête puisque rien ne tient. On donne toujours trop d'importance aux autres. Avez-vous remarqué qu'ils ne voient jamais sur les visages l'ennui qu'ils suscitent ? Pourquoi gâcher notre vie pour des êtres qui ne savent même pas reconnaître nos émotions sur nos traits ? Vous ne mangez pas ? demanda-t-elle.

— Si, si, fit Maryline, songeuse.

— On se demande ce que voit un daltonien mais on pourrait se demander la même chose de n'importe qui, ajouta Miss Merriman en confidence. Elle fit une pause, regarda le couple. Rien ne nous est plus précieux que nos émotions. Ne les bradez pas et ne les étouffez pas non plus. Sans elles, nous ne sommes personne. Elle fit une courte pause, regarda Maryline manger. Avez-vous remarqué que nos états d'âme, nos émotions au moment où ils apparaissent et s'installent dans notre esprit sont des paysages avec leur lumière particulière, une densité propre et leur propre géographie ? Je suis vieille et je ne peux plus compter sur aucun de mes sens. Tout est devenu intellectuel. Il n'y a plus de coulisses, vous voyez ? Elle soupira, regarda Maryline avec malice. C'est un prodige, vous savez, de rester gai et souriant après soixante-dix ans.

Maryline ne comprenait pas tout ce que Miss Merriman lui disait. C'était le résultat d'une vie de réflexion et il fallait un mode d'emploi en bostonien qu'elle n'avait pas sous la main. Pourtant, elle sentait dans le flux de ses paroles, dans le ton sage et las de la vieille dame que celle-ci lui conseillait de sauter le pas. Miss Merriman avait-elle compris de quel pas il s'agissait ? Elle aimait beaucoup William, avec qui elle partageait un peu de sang wasp, mais elle aimait aussi beaucoup Maryline et lui en donnait chaque jour de nombreuses preuves.

— J'ai passé un moment délicieux hier soir avec nos amis japonais, reprit Miss Merriman. Cet Osamo est un homme étonnant. Il donne l'impression de connaître personnellement chacun de ses muscles, le plus discret de ses os. Le regarder donne envie de s'étirer, rit-elle.

Miss Merriman avait vu le visage de Maryline se fermer peu à peu et s'en voulait de l'avoir jetée dans l'abîme sans fond de son libre arbitre.

— Je ne comprends pas pourquoi William s'est entiché de ce type.

— Quel type ?

— Ce blondinet à l'air débile.

— Ah ! oui ! C'est très bizarre, en effet. Je voulais justement vous en parler. Hier, en fin d'après-midi, j'étais sur le balcon de ma chambre. Il y avait sur la plage de beaux cerfs-volants que je voulais prendre en photo. J'ai remarqué William et ce jeune homme parler à la porte du studio. J'ai cru comprendre qu'ils parlaient d'argent.

— D'argent ? demanda Maryline surprise.

— Vous avez des problèmes d'argent ? poursuivit Miss Merriman.

— Non ! répondit Maryline. C'est tout ce que vous avez entendu ?

— Oui. Quelques minutes plus tard, je les ai vus partir ensemble puis Georgia m'a appelée pour manger du caramel et jouer au Pictionary.

— C'est bizarre, dit Maryline.

La piqûre d'inquiétude recommença à lui faire mal. William, William, pensa-t-elle en soupirant. Dans quel pétrin s'était-il encore mis ?

— Rien dans la nature ne ressemble plus à du plastique que les jacinthes, dit Miss Merriman en tâtant la plante en pot posée sur le muret, à côté d'elle.

Maryline ne l'écoutait plus. Elle se prenait la tête, loin du lâcher prise recommandé par l'Américaine. Elle savait qu'elle ne pourrait jamais quitter William sans avoir l'assurance absolue qu'il ne lui arriverait rien et elle devait admettre qu'on n'en était pas là.

Miss Merriman insista pour payer le déjeuner et les deux femmes remontèrent dans l'Austin.

— Vous ne trouvez pas que les gens en été ressemblent à des parterres de fleurs ? demanda Miss Merriman qui avait adopté pour les quatre saisons un noir et blanc définitif.

— Ou à des drapeaux de pays africains ! cria Maryline en regardant le front de mer bigarré et gai.

En passant près du casino, elles aperçurent Édouard Herr, tête baissée contre une brise imaginaire, qui marchait d'un pas pressé. L'homme faisait une tache d'ombre dans le décor d'été. À l'entrée du port, Miss Merriman appela Georgia qui lui dit qu'il était trop tôt, que Maryline ne devait pas arriver avant la tombée du jour. Avisée par l'Américaine, Maryline lui suggéra qu'elle rentre seule à Ker Annette. De son côté, elle s'occuperait pendant une heure ou deux.

Elle traîna sur le port, mangea une glace en regardant les vieux gréements arriver en glissant dans le port, magnifiques et applaudis comme des stars de cinéma par les estivants. Elle sentait sur elle les regards s'attarder, plus ou moins bien intentionnés. On jaugeait sa nonchalance et sa démarche fantomatique, en bien ou en mal. Elle appela Simon, lui demanda de la retrouver quelque part.

— Chez moi, dit-il.

Quand on entrait chez Simon, Il était difficile de savoir s'il venait d'emménager ou s'il s'apprêtait à déménager. Il vivait au milieu de cartons, de meubles flambant neufs qui sentaient le pin suédois, de paperasses en tas sur des coins de table et de vaisselle pour six stratifiée sur des étagères poussiéreuses.

— Je suis sidéré que tu sois là, dit-il en l'entraînant dans la chambre.

— Je suis sidérée d'être là, dit-elle. Simon, c'est effrayant, nos certitudes ne valent rien. Il y a deux jours encore, je...

Simon posa sa main à plat sur la bouche de Maryline, déboutonna de l'autre son chemisier.

Un peu plus tard, Maryline se dit que faire l'amour avec Simon était comme s'évanouir ou tomber dans un puits. On y laissait pas mal d'espérance de vie, on brûlait beaucoup d'un coup mais, incapable soudain d'être comptable ou raisonnable, on se laissait détruire consentant par la drogue dure d'émotions rares. Elle se dit que Simon était un ogre.

Dans la voiture, le visage brûlant et barbouillé de la salive de Simon, encore sous l'emprise de ses mains sur son corps, Maryline essayait de refaire surface. Elle n'éprouvait ni remords ni culpabilité. Simon n'avait même pas à être justifié au regard des autres, il était une évidence qu'on ne questionnait pas. Il lui semblait d'ailleurs qu'autour d'elle on en avait pris acte. Il avait juste disparu quelque temps de la vie de Maryline et ces années d'absence étaient tout au plus un détail. Elle lisait sa vie avec William, Georgia et même Flag en termes d'assistance à personne en danger et envisageait donc l'avenir dans les mêmes termes. Si on pouvait vivre sans son aide, elle pourrait partir et rattraper avec Simon le temps perdu.

Elle se trouva une tête de folle dans le rétroviseur extérieur de la voiture, se dit qu'elle prétexterait une heure d'hyperventilation dans les embruns de la côte sauvage.

Georgia l'attendait au portail et la précéda dans l'allée, excitée et sautillante, dix ans de moins que son âge. Maryline découvrit stupéfaite qu'une scène avait été installée sur la pelouse. C'était un vrai décor, déplié par panneaux comme un paravent géant, sur lequel une merveilleuse branche de cerisier en fleur avait été peinte avec l'abstraction juste du Japon. Le sol avait été recouvert d'un plancher rectangulaire. Des lumières éclairaient délicatement la scène dans le crépuscule breton. On avait sorti des chaises pliantes de la maison et Maryline remarqua, soulagée, qu'Annick était là et pas la mouche à merde. En rang, William, Flag et Rebecca Merriman l'accueillirent goguenards. Georgia et Annick offrirent à chacun une coupe de champagne. Il y avait quelque chose dans l'air qui coupait la parole, entre le malaise général, une folle envie de s'aimer les uns les autres et la peur rétrospective que Maryline ait pu ce soir-là ne jamais rentrer. William demanda à tous de s'asseoir.

Daito apparut sur le côté de la scène. Vêtu d'un kimono de soie noire, il s'agenouilla, puis accorda un instrument qui ressemblait à une guitare blanche et carrée, à long manche, sans se soucier de leur présence. Il grattait les cordes avec un drôle d'objet en bois qui ressemblait à une feuille de ginkgo. Alors que le silence s'était fait et qu'aucun souffle de vent ne soufflait sous les pins, Daito se mit à chanter. On retint son souffle pour comprendre de quoi il s'agissait. La voix semblait venir du fond du monde, une voix ancestrale qui vibrait et vrillait les ventres. Maryline vit William sourire, adossé et nonchalant, plus habitué que quiconque aux manipulations de la scène, mais follement intéressé. Quant à Flag et Miss Merriman, ils étaient deux corps raidis que la voix profonde de Daito avait tétanisés, avant le grand saut dans l'au-delà.

Osamo entra sur la scène et, à partir de cet instant, chacun dut s'arranger avec les sensations inestimables qu'il allait leur offrir. Le visage couvert d'une épaisseur de poudre de riz qui rappelait la blancheur bleuâtre de la lune, deux minuscules lèvres peintes en rouge et les yeux allongés d'un trait de fard noir, Osamo marcha jusqu'au milieu de la scène à petits pas glissés. Il portait un costume compliqué fait de panneaux de tissus raides et somptueux, qui bougeaient comme des stores sur son corps introuvable. De longs ramages de glycine flottaient en broderies paysagées sur le fond rouge de son kimono d'apparat. On n'en pouvait croire ses yeux, c'était une splendeur. Une large ceinture faisait dans son dos deux ailes plates et repliées. De longues épingles étaient piquées bas dans sa chevelure d'estampe, domestiquée et huilée à l'encre noire. Dans sa main gantée de blanc, Osamo tenait un éventail, accessoire de ses émotions dont chacun allait apprendre à interpréter les oscillations. On aurait entendu une mouette voler dans le jardin des Halloway mais rien ne volait plus comme dans un film d'épouvante où soudain tout se fige avant le drame.

Exilé brutalement par la voix de Daito, chacun se retrouva seul face au masque de tristesse de la courtisane mélancolique incarnée par Osamo. Chacun dut reconnaître dans ce spectacle inouï ce qui lui était destiné. La légère torsion du cou de la courtisane qui semblait saisir au vol une impression, son torse plié loin en arrière pour regarder la lune, le mouvement de l'éventail masquant soudain son visage pour dissimuler sa tristesse, le regard éclairé d'un coup par le vol d'une luciole peut-être ou d'un espoir fou, Osamo leur offrit toute la gamme de leurs sentiments les plus intimes. Il leur fit cadeau d'eux-mêmes. L'étrangeté absolue de l'estampe en trois dimensions, la perte de leurs repères les mit tous à nu. Il nous manque toujours quelqu'un, semblait dire la courtisane en rouge, il nous manque toujours quelqu'un mais la vie est pourtant là, dans le mouvement de roue très délicat d'un éventail qu'on ouvre, qu'on ferme et qu'on pose sur son cœur. Osamo avait les gestes ralentis d'une marionnette dont on aurait enlevé les fils et qui faisait timidement l'expérience de la liberté.

Des larmes coulaient sur les joues de Miss Merriman, Annick soufflait de plus en plus fort et Georgia avait la bouche ouverte de celle qui va bientôt hurler de bonheur. William avait pris la main de Maryline au début du spectacle et ne l'avait plus lâchée. Maryline sentait à côté d'elle les résistances de Flag grincer comme de vieilles portes. Il était le seul à tenir tête à Osamo, tant pis pour lui.

Le Japonais replia les jambes, s'assit doucement sur le plancher dans son origami compliqué de tissus multicolores. Il pencha doucement la tête de côté pour écouter son âme qui semblait lui murmurer un souvenir. On eut l'impression qu'il souriait. Puis les lumières s'éteignirent.

La nuit était venue et chacun dans l'obscurité mit un moment à reprendre possession de son corps sur sa chaise pliante. Il fallait réapprendre la trivialité, se souvenir de son nom et se relever lentement de cette vision de beauté pure à laquelle rien ne les avait préparés.

C'est Flag le résistant qui donna le coup de feu. À grands cris, il entraîna tout le monde jusqu'à la table à tréteaux installée sous les sapins et remplit les coupes. Revenus du lointain soleil levant et de ses merveilleux artifices, on souriait béatement à la beauté qui résistait ici et là. William collait Maryline et Georgia collait ses parents tel l'œil de Moscou qui veut comprendre ce qui est en train de se passer dans son dos. Aidé d'Annick, Flag rapporta les chaises qu'il déplia autour de la table. Il y avait là de quoi manger pour cinquante personnes, en grande partie des spécialités bretonnes rapportées par Osamo et Daito des diverses coopératives locales qu'ils avaient visitées. Cerise sur le gâteau, les Nippons avaient dévalisé le confiseur de la promenade. C'était le moyen infaillible de faire délirer les autochtones, en l'occurrence Flag et Maryline qui reconnurent au premier coup d'œil les bateaux calabrais de leur enfance, réglisse en forme de barque, les masques noirs anciennement têtes de nègre, les réglisses fumeurs et les frous-frous nacrés, berlingots pointus qui déchiraient le palais. Les deux Japonais rejoignirent le groupe, démaquillés et souriants comme si rien ne s'était passé, comme s'ils n'étaient pas conscients d'avoir donné à chacun un coup au cœur qui vibrerait en eux pendant des semaines. Annick regarda longuement Osamo qui lui fit la grâce de ne pas s'en apercevoir. Jamais Maryline n'avait vu sa femme de ménage regarder un être humain avec un tel intérêt.

Osamo reçut les félicitations de chacun avec un petit salut de la tête et un sourire nippon. Puis il s'assit à côté de William. Ils trinquèrent entre artistes.

— Tout à l'heure, Osamo, tu étais femme et homme ou bien ni l'un ni l'autre ? demanda William.

— Dans le blanc est le noir et dans le noir est le blanc, répondit Osamo, en souriant. Nous ne sommes pas catégoriques et je ne peux pas répondre à ta question. La réponse, je crois, t'appartient.

William respira longuement en réfléchissant, sourit à Maryline qui les écoutait.

Flag, hyperactif, faisait le service pour enrayer les émotions qui menaçaient, les effets du spectacle qui affleuraient encore dangereusement et contre lesquels il s'entêtait.

— Nous sommes très différents de vous, répondit Osamo à une question que lui posait

Miss Merriman. Nous vivons sur une terre qui peut à chaque instant nous engloutir et nous parlons une langue si imprécise que nous passons notre temps à essayer de comprendre ce que les autres veulent nous dire. En Occident, vous nous inventez sans cesse. Osamo rit. Vous nous imaginez vivant dans des pièces dépouillées, entre deux galets et un futon d'ascète alors que nous vivons dans des endroits minuscules qui dureront à peine plus longtemps que nous et où nous entassons tout ce qu'il est possible d'entasser. Il montra Ker Annette, masse sombre et tranquille derrière eux. Ker Annette est ce que nous n'aurons jamais, dit-il.

Maryline écoutait vaguement, pensait à Simon, seul au milieu de ses cartons, pas très loin de l'ascète, lui. Elle regarda William qui semblait tout à fait heureux. Il avait l'air de celui qui s'est offert le monde. À côté d'Osamo, Miss Merriman sucrait une crêpe. Maryline lui trouva un faux air de Deborah Kerr, l'anglaise magnifique, celle qu'on oubliait toujours de citer quand on énumérait les grandes actrices. Deborah Kerr et son mystère bourgeois que Miss Merriman pouvait également incarner à la perfection.

Flag sortit de sa poche un étui à cigarettes rempli de joints roulés avec amour. Il les fit circuler et Maryline détourna la tête quand Georgia en prit un avec une impitoyable aisance. Miss Merriman aussi en prit un et Flag n'osa pas lui dire que ce n'était pas une simple cigarette. Il haussa les épaules en regardant William. Chacun fuma son pétard lentement et goulûment. Maryline s'éclipsa et s'enferma dans sa chambre pour appeler Simon. Il ne répondit pas à son appel. Des bribes de conversation lui parvenaient d'en bas, mélangées à un désir absolu du corps de Simon, tout de suite. Elle prit un gilet dans la penderie et rejoignit la petite bande et sa douce fatalité.

— Savez-vous que nos fameux cerisiers en fleur ne donnent pas de cerises ? disait Osamo à Miss Merriman et Annick.

Maryline vit William attraper Georgia au passage. Il l'embrassa dans le cou et elle se dégagea en ronronnant. Maryline soupira. Qu'avait-elle imaginé ? Qu'elle pourrait se débarrasser d'eux d'un claquement de doigts ? Ils se battraient, ils la séduiraient. Une soudaine bouffée de rage la cloua sur place contre tous ceux qui s'interposeraient entre elle et Simon.

En maître de cérémonie très raccord, Flag mit la chaîne à fond dans le studio, laissa la porte ouverte et Marvin Gaye s'égaya, royal, dans le jardin en l'honneur de Maryline. L'effet des joints à n'en pas douter, on commençait à rire bêtement autour de la table. William se leva et invita Maryline à danser. Daito suivit qui invita Georgia et Flag qui invita Miss Merriman. Annick, en plan, entreprit de mettre de l'ordre sur la table.

Maryline et William dansaient au millimètre en pros du dancefloor, une vieille habitude d'étoiles, gardée de leur ancien firmament. Il y avait toutefois ce soir-là dans l'étreinte de William un sens de la propriété qu'elle ne lui connaissait pas. Il la serrait de près, délaissant son style délié. Les mains agrippées aux hanches de Maryline, son corps dégageait une rigidité inquiétante. Maryline se rappela ce qu'elle savait déjà, au fond depuis vingt ans qu'elle vivait avec William. Rien dans la vie n'est négociable. La violence affleure au moindre grain de sable dans la machine et on n'en revient pas qu'elle ait toujours été si proche.

— How are you, honey ? demanda-t-il.

Il avait les yeux rouges albinos du type qui ne se souviendrait de rien le lendemain. Maryline sentit fondre sur elle une sourde tristesse. Elle n'aimait pas ce vieux relent de méchanceté dans la voix de William qui lui rappelait l'époque où elle lui volait sa dope pour l'empêcher de se nuire.

— Forget it, dit-elle doucement.

Elle ferma les yeux, se laissa porter par la voix de Marvin Gaye.

Get up, get up, let's make love tonight *,

disait-il et, dans les bras de William, c'est la voix de Simon que Maryline entendait.

Quelques messages subliminaux furent lancés sur la piste par « ce con de Flag », pensa Maryline, qui voyait sa fille de plus en plus engluée à Daito alors que passait *I'm on fire* * chanté par un Springsteen chaud bouillant.

Maryline retourna s'asseoir près de Miss Merriman qui développait un très bizarre strabisme divergent, le même que celui de Deborah Kerr, se dit-elle, un brin épouvantée.

— Ça ne vous arrive jamais, dit Miss Merriman en se servant un verre de cidre brut qui moussa abondamment sur sa main, de ressentir une solitude soudaine dans une soirée animée ? Vous vous trouvez tout à coup plongée dans un silence mortel et vous vous demandez pourquoi vous êtes vous-même et pas cette femme rousse en robe verte ni ce type efféminé qui ressemble à la cigogne de la fable, le nez dans sa coupe de champagne, ni…

L'Américaine s'interrompit, lassée par ses propres mots, lui prit la main, la tapota gentiment comme si c'était Maryline qui souffrait. La vieille dame mettait longtemps à cligner des yeux et ses gestes avaient des lenteurs de sauriens. Maryline, quant à elle, avait du mal à parler. Ses pensées très ralenties mouraient avant d'arriver dans sa bouche et elle abandonna Miss Merriman à ses états schizophréniques.

Elle demanda à Annick de surveiller Miss Merriman car elle avait un peu trop bu. Il était inutile de parler d'herbe à Annick qui en ignorait jusqu'à l'existence. La femme de ménage se sentit en mission et opina avec sérieux. Elle était la seule ce soir-là à avoir l'esprit clair mais elle n'en avait pas la moindre idée. Elle savait juste qu'elle n'avait pas envie de rentrer chez elle et qu'elle voulait rester là où se trouvait l'homme étrange qui, déguisé en femme, lui avait soudain fait comprendre qu'« il », « l'autre », ne lui taperait plus dessus. À l'autre bout de la table, Flag faisait frénétiquement les sudokus niveau trois d'un magazine qui traînait au milieu des victuailles. Miss Merriman parlait à un ami américain invisible. William s'était allongé sur la pelouse et semblait compter les étoiles. Osamo dansait le one-step sur la pelouse au son de Pink Floyd et de son *Wish you were here* * unplugged, triste à se tirer une balle. Flag était une plaie, se dit Maryline et tout son sadisme ressortait quand on lui confiait les platines.

Quant à Georgia, assise sur les genoux de Daito, elle regardait sa mère avec une insistance pénible. Nos enfants savent avant nous ce qui va nous arriver, se dit Maryline en observant sa fille irradier de contrariété. Ils voient les signes de pourrissement que nous sommes incapables de reconnaître, pensa-t-elle en allumant son troisième joint. Elle avait conscience que Georgia allait souffrir du départ de sa mère comme elle avait souffert de la célébrité de son père.

Ce passé glitter était un trésor pas clair pour Georgia qui avait hésité entre vouloir et ne pas vouloir savoir. Elle avait très tôt remarqué les pépites étinceler dans les yeux des gens qui reconnaissaient William ou Maryline. En adolescente avisée, elle avait choisi de rester en retrait de la fortune familiale. Elle était par ailleurs bien placée pour savoir que les souvenirs d'un guitar hero pouvaient être aussi chiants que ceux d'un ancien combattant et elle regrettait toujours les rares questions qu'elle posait, souvent en service commandé pour des copines, d'ailleurs. Il y avait eu des posters de William dans les chambres d'ado des parents de ses amis et cela pesait lourd dans une vie de jeune fille. Elle savait pourquoi son père avait arrêté la musique et sa mère les photos de mode. Pour le reste, elle préférait en rester aux grandes lignes. Mais, ce soir-là, elle aurait donné cher pour savoir ce que sa mère avait dans la tête. Sa mère, qui avait l'air d'avoir navigué sur un voilier toute la journée, regardait autour d'elle comme si elle ne connaissait personne et qu'elle était tombée par hasard dans une soirée mondaine.

— Happy birthday to you ! Happy birthday to you ! Happy birthday to you ! Happy birthday to you Maryline ! Happy birthday to you !

— Bon anniversaire maman ! cria Georgia en voyant Annick et Flag apporter en titubant une extravagante pièce montée.

Mon Dieu, qu'ils sont forts ! pensa Maryline alors que tous s'approchaient du gâteau éclairé comme une rampe de cierges. Les visages étaient étranges et gais, ils souriaient à la pâtisserie meringuée. Elle souffla toutes les bougies d'un coup. Les applaudissements fusèrent et les rires aussi. Daito, pour fêter ça, sans doute, poussa un cri de samouraï avant l'assaut et courut en écartant les bras jusqu'au massif d'hortensias où il se jeta en plongeant tête la première. Maryline se demanda s'il y avait là un hommage à *Tintin*. Tout le monde trouva ça extrêmement drôle, particulièrement Georgia qui se lança à sa suite dans les fleurs, boudinée à mort dans son maudit short. Le rire était général. Annick avait du mal à trouver cela aussi amusant que les autres mais elle faisait bonne figure et regardait Osamo quand le doute la saisissait. Le Japonais s'était assis entre Flag et William et face à Miss Merriman qui se DeborahKerrisait de plus en plus, strabisme, mystère bourgeois et joint corsé aidant. À côté d'elle, Maryline tenait sa tête penchée dans une main et regardait en rêvassant la façade de Ker Annette en mangeant son fraisier.

— J'ai su qu'on m'avait jeté un sort grâce à un spécialiste du tarot médiéval qui me l'a confirmé, dit Flag en se coupant une grosse part de gâteau. Il venait de raconter à Osamo l'épisode fâcheux de son oral de Polytechnique. Aux urgences, ils m'ont pris pour un fou, reprit-il, et ils m'ont jeté dehors complètement envoûté. J'ai compris qu'il fallait que je m'en sorte seul. J'ai tout essayé. D'abord les runes de guérison, rien. Ensuite, sur les conseils d'une amie, je me suis mis sous la protection de saint Expédit, re-rien. Saint Georges n'a pas marché non plus. J'ai fini par acheter un protecteur radionique. Je l'ai porté autour du cou pendant un an. Ça a fini par marcher.

Osamo écoutait. William écoutait aussi mais pas de la même façon que le Japonais. Il connaissait l'histoire par cœur et s'amusait chaque fois des légères modifications apportées par Flag pour enrichir son aventure contre les esprits malins. Saint Expédit était la nouveauté du jour.

— Vous n'avez plus jamais été envoûté ? demanda Miss Merriman en français.

— Je me suis demandé si ça n'avait pas recommencé avec l'histoire de cette fille sur la plage. J'ai ressenti des ondes assez violentes. Alors, par sécurité, dit-il en regardant Miss Merriman très sérieusement, j'ai pris un bain avec la poudre de désenvoûtement qui me restait de l'année dernière quand j'ai eu mes maux de tête. Il hésita, regarda la vieille dame, vérifia sur ses traits qu'il pouvait lui faire confiance. Bon, ça me chiffonne un peu, ajouta-t-il, parce que je n'ai pas respecté la lune montante à deux jours près.

Fou d'angoisse tout à coup, Flag inspira une longue goulée d'air marin pour se calmer. Miss Merriman lui suggéra de ne pas s'inquiéter. Elle ajouta qu'elle était sûre que la fille s'était noyée seule.

— Parce que, vous savez, continua Flag, et ça, je l'ai dit aux flics, je ne mets jamais un pied dans l'eau. Je vis au bord de la mer depuis que je suis né mais je ne me baigne jamais.

— Moi non plus, éructa Annick dans un immense et courageux effort pour dépasser sa timidité.

Flag l'ignora, trop mobilisé pour partager l'attention.

— Double traumatisme, dit-il en promenant son regard autour de lui. Je suis tombé dans un bassin quand j'avais trois ans. On m'a retrouvé à moitié noyé et deuzio à cause d'une image dans *Tout l'Univers*.

Maryline expliqua rapidement à Miss Merriman et Osamo ce que représentait l'encyclopédie *Tout l'Univers* pour leur génération. « Une bible un peu boy-scout », dit-elle avec l'assentiment de Flag. Il expliqua avoir été traumatisé par un dessin en couleurs représentant un nageur minuscule, crédule et naïf, qui nage le crawl au-dessus des fonds marins grouillant de poissons et de crustacés géants, terrifiants pour l'enfant imaginatif et doué qu'il était.

— Est-ce que le nageur portait des palmes ? demanda William, très sérieusement.

— Des palmes ? Merde, est-ce qu'il portait des palmes ? Je ne me souviens plus, dit Flag, paniqué.

Il ferma les yeux pour tenter de retrouver l'image incriminée.

Pendant que Flag cherchait ses palmes, Osamo leur expliqua quelques principes du bouddhisme zen qu'il essayait de pratiquer dans sa vie quotidienne. Annick écoutait avec ferveur et comprit deux choses. D'abord que tout ce qui existe vient de nous, ce qui n'était pas rien pour une femme qui avait jusqu'alors toujours pensé le contraire. Ensuite, qu'il fallait vivre sa vie ici et maintenant, que le passé n'existait qu'au présent et que l'avenir n'existant pas, il était inutile de s'en inquiéter. Il y avait là-dedans une sorte de je-m'en-foutisme réjouissant mais un peu affolant pour ses auditeurs.

— Au fond, vous n'êtes pas attaché à vos pensées ? demanda Maryline.

Elle avait l'impression que sa voix émergeait d'une épaisse purée fortement beurrée.

— Certainement moins que vous, répondit-il gentiment.

— Et le facteur humain ? dit Flag, qui avait renoncé à retrouver ses palmes. Si je comprends ce que tu dis, on se fout un peu de tout et surtout des autres. On est suspendu dans l'instant et basta.

— Nous pensons qu'exercer un pouvoir sur les gens est impossible. Nous pensons qu'il faut les laisser faire et les observer.

— Et s'ils sont en train de se noyer ? demanda William.

Osamo baissa les yeux, regarda ses mains posées sur la table, les mêmes qui deux heures plus tôt, gantées de blancs, voletaient autour de leurs âmes.

— Je n'ai pas de réponse, dit Osamo.

Il n'y avait aucune gêne dans son aveu d'impuissance.

— Eh bien moi je pense qu'on ne peut pas faire abstraction des autres et qu'on ne peut pas se contenter de les observer. Flag avait levé un doigt vengeur à l'attention de la tablée qui sombrait peu à peu dans une mélancolie post-herbeuse et pré-nausée. Mettez dix voitures autour d'un axe circulaire, rcprit-il, et faites-les rouler à la même vitesse et à la même distance les unes des autres. Eh bien vous savez ce qui va se passer ? Osamo ? Osamo lui fit signe de continuer. Eh bien ils vont finir par se rentrer dedans. On n'y peut rien.

Annick marmonna son extrême perplexité et Miss Merriman annonça son repli. Les histoires de voiture ne l'intéressaient pas, dit-elle en riant bêtement. Sur un signe de Maryline, Annick l'accompagna jusqu'à sa chambre.

— Je vois ce que tu veux dire, Flag, dit William qui n'arrivait pratiquement plus à garder les yeux ouverts. Je vois ce que tu veux dire, mon pote. Nos pensées sont des feux follets qui s'allument dans les têtes en sautillant. Tout le monde éclata de rire, l'image étant raccord avec l'humeur ambiante. Sur la plage, par exemple, je dis la plage mais c'est pareil dans le train ou au restaurant, tu regardes quelqu'un un moment. Il semble t'ignorer. Puis, tu te lèves et alors il te regarde, il cherche ton regard pour essayer d'y voir ce que tu emportes de lui. Tu vois, Osamo ? Tu vois ce que je veux dire ?

Osamo fit oui de la tête. Il avait soudain l'air préoccupé, un peu ailleurs. L'ombre passa et il fit remarquer qu'il n'y avait plus de musique. Flag tendit l'oreille.

— Incroyable, dit-il. Je ne m'en étais pas aperçu.

Flag marcha lourdement jusqu'au studio. Remarquant un peu plus tard qu'il n'en était pas ressorti, Maryline alla vérifier qu'il allait bien et le trouva endormi, couché sur une pochette d'Eddy Cochran, son idole absolue après William et qu'il avait l'air d'embrasser dans son sommeil.

En revenant s'asseoir, Maryline trébucha sur une bouteille vide et s'affala sur les genoux d'Osamo. Tous les deux rirent aux éclats pour masquer leur gêne. Maryline se releva promptement en s'excusant. Annick brassait de l'air, faisait des allers-retours frénétiques entre la maison et le jardin. Maryline la regarda abonder en gestes nouveaux, amples et presque harmonieux, tourner autour d'Osamo comme s'il était une idole à vénérer au plus près. Maryline aurait aimé que le Japonais parle à sa femme de ménage, qu'il la prenne à part. Technique de samouraï ou précepte zen sans doute, il la laissait bouillir toute seule dans son exaltation. Peut-être avait-il raison de la laisser se débrouiller, au risque que la nuit ne balaye ses sensations toutes neuves. Mais avoir la bénédiction d'Osamo aurait peut-être été pour Annick un gage de réussite, pensa-t-elle. Assise face au Japonais, elle regarda alentour, fit le compte de son monde. Georgia et Daito avaient depuis longtemps émergé des hortensias et devaient se tripoter quelque part, pensa Maryline, entre fou rire et malaise.

— Où est William ? dit-elle.

Au moment où elle posait la question, elle le vit près du portail discuter avec le dénommé Christophe. Ils avaient l'air de fomenter un mauvais coup. Alors qu'elle se levait pour les rejoindre, elle vit William monter dans l'Austin en compagnie du type et descendre l'allée sans demander son reste.

— Merde ! cria-t-elle en se rasseyant lourdement.

Elle avait oublié la présence d'Osamo qui, les bras croisés sous les aisselles, humait dans l'air de la nuit de quoi nourrir ses théories sur le bonheur immédiat.

— Je rencontre parfois en Occident des gens qui suivent les codes orientaux sans le savoir, dit-il en regardant en l'air. Ces gens-là sont en général très heureux. Je pense que William est l'un d'eux.

— Je ne sais pas s'il est heureux. William est celui d'entre nous qui a le passé le plus tentant, dit Maryline qui commençait à refaire surface. Je crois que chaque matin il doit choisir entre y retourner ou rester ici. C'est un suspense assez énervant pour moi, ajouta-t-elle en regardant vers la route où William venait de disparaître.

— C'est pour cela que vous avez décidé de partir ? dit Osamo.

— Pourquoi pensez-vous que je vais m'en aller ? demanda Maryline, vaguement inquiète.

— Je ne vous connais pas mais quelque chose me dit que vous n'êtes pas là et que tout le monde ici essaie d'attirer votre attention. Qu'est-ce qui vous empêche de partir ?

— Georgia, d'abord. J'ai perdu ma mère très jeune et je ne veux pas manquer à ma fille. Maryline rit. Pour être honnête, j'ai peut-être peur de ne pas lui manquer, tout comme ma mère ne m'a jamais manqué.

Maryline s'étira. Elle était bien dans le jardin mal éclairé. Osamo la comprenait et lui donnait l'impression d'être intelligente.

— Vous savez, reprit-elle, j'ai eu une drôle de vie. Une vie agréable mais avec toujours, quelque part dans ma tête, et dans mon corps aussi d'ailleurs, un vide, un creux. Pas vraiment douloureux mais qui se rappelait à mon bon souvenir dès que j'étais censée être heureuse.

— Et vous venez de trouver de quoi ce vide était plein ? dit Osamo.

— Oui, exactement, répondit-elle en riant.

Elle rejeta sa chevelure en arrière, leva légèrement la tête, comme autrefois quand on la prenait en photo pour des publicités de rouge à lèvres. Elle ne s'aperçut pas qu'Osamo la regardait intensément.

— Que dois-je faire ? demanda-t-elle, des fils de désespoir dans la voix.

— Je suis japonais. Je suis acteur de kabuki et je m'enferme chaque année dans un monastère pour guérir mon âme et me persuader que rien ne dure. Je ne suis sûr de rien, pourtant je pense que vous devez accepter que les choses changent.

Maryline prit la main d'Osamo, la serra.

— Bonne nuit, dit-elle en se levant, et merci pour tout. Votre courtisane hantera longtemps ce jardin, ajouta-t-elle en regardant le décor abandonné.

Dans la cuisine, Maryline trouva Annick affairée inutilement, blanche à faire peur.

— Dormez ici cette nuit, dit Maryline.

C'était presque un ordre.

— Hmm, répondit Annick.

— Je vous ouvre le canapé du petit salon, dit Maryline en sortant de la pièce.

7

C'était une journée funeste pour Édouard Herr, de celles qu'il avait renoncé à comptabiliser tant elles se renouvelaient souvent depuis quelques mois. Des journées invivables du matin au soir mais qui généraient des idées prodigieuses et dont la profondeur l'affolait. Ces mêmes idées perdaient dès le lendemain tout intérêt, devenues en une nuit banales ou folles. Il était impossible de leur trouver une place quelconque dans une existence ordinaire. L'autre lui-même, l'heureux de vivre, refusait d'instinct de cohabiter avec son jumeau sombre.

Dès le réveil, il avait reconnu les symptômes du mal. Empoisonné par une nuit de rêves à la Kubin, une lassitude énorme l'enveloppait comme un lange lâche et humide. Il se leva péniblement, marcha jusqu'à la salle de bains, tracassé par un oubli dont il avait oublié la teneur. Même seul, il imitait à s'y méprendre les gestes de la vie. Édouard Herr acceptait sa nature, c'était une malédiction qu'il avait renoncé à combattre. Certains jours, une main invisible lui enserrait la gorge jusqu'à la nuit et il n'y pouvait rien.

Sous le jet brûlant de la douche, il lâcha son savon, se pencha pour le ramasser. Il manqua trois fois le poisson huileux et lisse qui lui filait entre les doigts. À la quatrième tentative, il perdit l'équilibre et se cogna violemment la tête contre la paroi de verre de la douche. Il se redressa, regarda sans surprise le sang se mélanger en tresse à l'eau qui coulait sur son torse. Il resta sous la douche jusqu'à ce que l'eau redevienne claire. Dans ces moments-là, il comptait les secondes et chaque geste était un record à battre.

« Édouard mon vieux, il faut vivre », soupira-t-il à son reflet rose dans le miroir, tout en tapotant avec un coton imbibé d'alcool une petite plaie sur sa tempe.

Il s'habilla avec un soin particulier puis prit son petit déjeuner en compagnie de Des Esseintes à qui il confia quelques considérations très sombres sur sa vie et sur la vie en général.

Georgia était partie tôt. La régate des vieux gréements allait commencer et Reine voulait tout son monde pour accueillir les journalistes. En descendant pour préparer le petit déjeuner, Maryline passa la tête dans la chambre de sa fille. Lorsqu'elle avait fait l'amour la première fois, Maryline avait cru pendant quelques jours qu'on pouvait le deviner en la regardant. L'impression avait filé et elle avait refait l'amour sans jamais plus avoir le sentiment de le partager avec la terre entière. Si Georgia et Daito avaient fait l'amour, elle le saurait plutôt en inspectant sa chambre qu'en cherchant la vérité dans le regard insolent de sa fille. Elle alluma l'interrupteur et, le temps d'un flash, aperçut sur l'oreiller du lit de Georgia le visage endormi du jeune Japonais. Maryline éteignit la lumière, referma la porte doucement et se dit que c'était bien fait pour elle. Rien ne l'avait obligée à savoir.

Un peu dans les vapes, elle se fit un café qu'elle alla boire dans le jardin. Le temps était merveilleux, l'été tenait bon, c'était incroyable. Maryline, qui avait l'habitude de s'excuser du mauvais temps auprès de ses clients comme si c'était sa faute, pouvait souffler une journée de plus. Osamo avait pris le risque de ne pas démonter le décor du spectacle de la veille, ouvert sur la pelouse à la manière d'une délicate boîte à bijoux. Maryline revit la geisha blême dans son kimono rouge et or évoluer sur son fond de cerisier en fleur et son cœur se serra. Une tristesse de lendemain de fête mêlée à la brume merveilleuse du petit matin se battaient dans son esprit pour donner à la journée qui commençait sa tonalité particulière.

La porte du studio s'ouvrit et Flag en émergea, larges rayures sur les joues en scarifications africaines et regard hagard de l'homme des bois. Il fit un petit signe à Maryline, comme si parler risquait de lui faire exploser la tête puis réapparut quelques minutes plus tard un café dans une main et une cigarette dans l'autre. Il s'installa à côté d'elle sur une marche du perron. Flag se comportait avec Maryline en môme rabroué qui revient sans cesse à la charge. Il aimait Maryline à sa façon, qui était celle d'un homme mal grandi qui adorait ses monstres mais aussi la nonchalance rassurante de cette femme qui laissait derrière elle un frais parfum de rose. La lente Maryline lui apportait sans le vouloir une paix inespérée, impensable dès qu'elle avait le dos tourné, car la vie de Flag était un enfer qui ne s'arrêtait jamais. Parfois, une brèche s'ouvrait et il n'y résista pas ce matin-là, assis dans une brume irisée et prometteuse avec Maryline que la nuit et leur folle soirée n'avaient en rien abîmée.

— J'ai rêvé de Georgia, dit-il.

Maryline connaissait le discret penchant de Flag pour sa fille et comprit qu'il avait été blessé de la voir avec Daito.

— Ah ! oui ? demanda-t-elle, l'air amusé.

— Il y avait un feu d'artifice sur la grande plage et je la voyais par intermittence quand le ciel s'éclairait. Dès que la plage replongeait dans le noir, je pensais l'avoir perdue. Je peux te poser une question ?

— Vas-y, dit-elle en tapant du pied pour effrayer deux mouettes qui tournaient autour du décor d'Osamo.

— Qu'est-ce qui va se passer ? dit Flag.

Maryline, toujours un peu vacharde quand il s'agissait de Flag, profita de l'occasion pour le faire chanter.

— C'est quoi l'histoire entre William et ce type ?

Flag émit le râle de celui qui va parler contre sa volonté.

— William a un truc avec ce mec. Je sais pas quoi.

— Miss Merriman les a entendus parler d'argent.

Tous les deux pensèrent à la dope. Mais le tabou était si fort que le sujet ne pouvait même pas être évoqué. Tous les dealers du coin avaient encore plus peur de Maryline que des flics et le danger ne pouvait venir que de l'extérieur.

— Tu le sens comment toi, ce type ?

— Tu veux savoir ce que je pense ? Je pense que c'est un petit diable très très dangereux qui s'est assis sur l'épaule de William. Je ne peux rien faire et ça me rend dingue. J'ai d'autant plus les boules que je sens qu'on ne peut plus compter sur toi.

Il y eut un silence, entrecoupé de cris de mouettes et d'enfants en rang, ceux de la colonie de vacances voisine qui partaient à la plage.

— J'ai plus de liquide vaisselle, bougonna Annick, en déboulant sur le perron.

Alors que Maryline se levait pour aller en chercher dans la réserve, le portail s'ouvrit en grinçant sur une silhouette ramassée, « l'autre » qui se dirigeait, tête baissée, vers la maison.

— Merde ! cria Maryline. Flag, va réveiller William ! Et aussi Osamo et Daito, vite !

Annick, partie se cacher, laissait Maryline face à face avec son tyran domestique.

— Monsieur ? dit Maryline, regard hautain et bouche en cul-de-poule très exagérée.

— Je viens chercher ma femme, marmonna-t-il.

Maryline avait l'impression d'entendre Annick et se dit que les conversations entre ces deux-là devaient se limiter à une suite d'onomatopées crachées au visage de l'autre.

— Ça ne va pas être possible, j'ai besoin d'elle toute la matinée.

— Je veux la voir, insista l'homme.

Sans être particulièrement menaçant, « l'autre » s'approchait de plus en plus de Maryline, gravissant lentement les marches du perron. Elle n'avait jamais vu le mari d'Annick d'aussi près et son visage la frappa. Il y avait sur les traits de cet homme de l'amour fou en perdition, des sentiments bâclés, des impuissances, cette souffrance des mal-aimés à laquelle elle avait échappé enfant grâce à l'adoration de Simon et qui avait fait d'Annick la victime d'une victime. Maryline sentit les larmes venir, se reprit à temps.

— Écoutez, monsieur, je voudrais que vous la laissiez travailler tranquillement.

L'homme s'ébroua, pas décontenancé par les « monsieur » que Maryline lui servait de haut et fit le geste de la pousser pour entrer dans la maison. À cet instant, Osamo, qui courait vers le seuil, prit le mari d'Annick sous les aisselles, le souleva du sol et le posa sur la pelouse, comme un bébé qui ne sait pas encore marcher. « L'autre » se releva d'un bond, se rua sur Osamo qui lui avait déjà tourné le dos et le fit tomber avec lui dans l'herbe. Maryline poussa un cri, relayée par William, tout juste sorti du lit et qui se faisait briefer par Flag sur la situation.

La courtisane grimée de la veille métamorphosée soudain en judoka nerveux et bondissant tournait autour de l'homme ramassé en position animale, sur la défensive et totalement décontenancé par le Japonais qu'il n'avait pas prévu. Le mari d'Annick se fraya une ouverture jusqu'au plancher du décor d'Osamo, et là, sur fond de cerisier, le paludier mauvais coucheur invectiva le Nippon, en provocateur inconscient qui voulait jouer les héros devant un parterre hostile à sa cause. Osamo entra dans le décor, pieds nus en ventouse sur le plancher, recommença sa danse sournoise autour de « l'autre » qui essayait en vain de le saisir par le bras. Maryline tourna la tête vers la façade et aperçut Annick derrière la fenêtre de la cuisine. Elle semblait regarder la scène avec une étrange indifférence, comme si elle avait remis son destin entre les mains du monde et qu'elle se moquait désormais de ce qui pouvait lui arriver.

L'éventail géant vacilla sous le poids des deux hommes et Osamo, sans doute inquiet pour son décor, accéléra le rythme. Il attrapa le mari d'Annick par le pan de sa veste et le retourna sur le plancher. « L'autre », à plat ventre, trophée de chasse gesticulant en vain, grimaça en gueulant des insultes incompréhensibles.

— J'appelle la police, dit Maryline en se levant.

Simon Schwartz arriva quelques minutes plus tard et fit embarquer le mari d'Annick, écumant et hurlant à qui mieux mieux qu'il

« dézinguerait tous ces pédés ». Puis Simon s'enferma dans la cuisine avec la femme de ménage. Maryline s'inquiéta de l'absence de Miss Merriman et monta jusqu'à sa chambre pour vérifier que tout allait bien. Elle trouva la vieille dame dans son lit, un grand album de photos posé sur ses cuisses. Elle s'était fait du thé et n'avait pas l'air dans son assiette. Miss Merriman passait de longs moments dans ces albums à tranches dorées qu'elle emmenait dans tous ses voyages. Ils étaient pleins de vieilles photos d'elle enfant qu'elle regardait avec la même émotion que lorsqu'on regarde ses propres enfants. Maryline lui raconta l'incident du jardin mais l'Américaine semblait tellement ailleurs, dans un Boston taillé aux dimensions de sa mémoire, qu'elle s'éclipsa sans bruit. Au premier, la porte de Georgia était toujours fermée.

Simon avait terminé son entretien avec Annick et prenait des notes en écoutant Osamo. Il ignora Maryline comme on ignore quelqu'un qui nous est acquis et l'idée plut à Maryline. Le sentiment d'appartenance était une spécialité de Simon qu'elle n'acceptait que de lui.

Assis sur le perron, derrière Simon et Osamo, William chantait doucement *Sunday Morning* * en hommage à la matinée nacrée. Il chantait si bien, si extraordinairement bien que tous finirent par se taire et écoutèrent cette voix qui semblait née pour chanter des ballades. Il n'en fallait pas plus à Maryline pour fondre en larmes. Elle s'enferma dans la cuisine où elle retrouva Annick, aussi en larmes mais pour d'autres raisons, qui égrenait machinalement le calendrier des postes, un chiffon posé sur l'épaule.

Il fut impossible à Simon et Maryline de s'isoler dans la maison, bourrée d'espions et de suspicion. Maryline dut se contenter d'un regard lumineux et d'un signe de la main par la porte entrouverte de la cuisine. Elle détestait cet état post-excès entre nausée et récurrente envie de pleurer. On ne savait jamais à l'avance combien de temps cet entre-deux durerait et il fallait attendre que le sang se nettoie.

Miss Merriman n'apparut pas de l'après-midi, Flag rentra chez lui se changer, ce qui n'était pas du luxe, Osamo et Daito partirent passer leurs commandes de bols bretons à oreilles. William s'enferma dans son studio. Maryline demanda à Annick d'être raisonnable et de rester encore à la maison un jour ou deux, en attendant « que ça se tasse ». Puis elle annonça qu'elle sortait et prit son vélo dans la remise. Elle voulait voir les fameuses marines dont Herr avait parlé à Miss Merriman, et peut-être en offrir une à la vieille dame bluesy si le prix était raisonnable.

Au magasin d'antiquités, la vendeuse lui dit qu'Édouard Herr était chez lui et qu'elle pouvait s'y rendre « sans problème » pour voir les tableaux. Maryline remonta sur son vélo, croisa M. Sourire, l'homme qui découpait au ciseau et sur du papier noir les profils de générations d'estivants depuis cinquante ans. Maryline avait gardé entre les pages d'un dictionnaire, comme des fleurs dans un herbier, son profil d'enfant avec celui de Simon. L'aimait-elle déjà sans le savoir ? Et sans le vouloir aussi ? Le Simon d'alors, trop proche, était sans doute négligeable à ses yeux d'enfant insatisfaite et rêveuse.

Maryline hésita avant de sonner chez Herr. Elle n'avait aucune envie de le voir. Il lui faisait peur et il y avait de jolies marines chez d'autres antiquaires de la station. Elle se sentait en faute et pourtant rien ne semblait pouvoir la dissuader à cet instant de renoncer à son projet. Elle pensa à Barbe-Bleue, à la chambre ensanglantée. Quelqu'un klaxonna dans la rue. Elle sursauta, rit d'elle-même et de ses appréhensions, appuya sur la sonnette.

— Je vous attendais, dit Édouard Herr, chiffonné et raide à la porte du hall.

Immédiatement agacée par le cinéma de l'antiquaire, Maryline demanda en quoi sa venue était prévue.

— Eh bien, vous êtes quelqu'un qu'on attend, naturellement. Alors quand par extraordinaire vous venez, on dit : je vous attendais.

Maryline sourit, entra.

Le rituel reprit à l'identique. Il la pria de s'asseoir à droite du canapé, lui proposa du café, disparut derrière elle. Le décor n'avait pas changé, aussi hostile que le regard de la femme dans son cadre Art déco qui vous toisait comme une belle-mère méchante. Elle frissonna et le chat vint se coller sur ses genoux. Herr revint avec un plateau, augmenté cette fois d'une assiette de biscuits. Il lui servit une tasse de café fumant et quelques secondes plus tard, le vide se fit et elle s'endormit, princesse du conte, le chat sur les genoux, sous le regard penché de l'antiquaire.

Maryline se réveilla mal assise sur une méridienne, dans une pièce qu'elle mit un certain temps à distinguer dans la pénombre. Elle refit le chemin en arrière, se souvint du café un peu âcre que Herr lui avait servi, le poids du chat chaud sur ses genoux, la femme dans son cadre qui semblait la regarder en souriant bizarrement, puis l'envie de dormir, tout de suite, dans cet endroit qui ne s'y prêtait pas. Elle prit conscience de la gravité de la situation lorsqu'elle essaya en vain de dégager ses mains, attachées l'une à l'autre dans son dos. Sentant l'air lui manquer, elle ouvrit la bouche pour éviter la crise de panique. Les bruits de la rue ne lui parvenant que très étouffés, elle se dit qu'elle devait être à l'arrière de la maison, aux confins de la villa Esteraza. Par une petite fenêtre, elle vit que la nuit était tombée. Elle distingua autour d'elle la présence d'une quantité d'objets dont elle voyait à peine les contours. Elle somnola un moment, s'endormit, rêva de William. Elle se réveilla en sursaut, vit Herr, debout face à elle, un peu morveux et qui dansait d'un pied sur l'autre. Elle poussa un petit cri d'effroi en découvrant dans la pièce éclairée que les objets dont elle n'avait distingué que les formes dans la pénombre étaient des masques, des dizaines de masques, posés partout où il était possible sur de petits socles et prêts à être portés pour d'inquiétants rituels.

— Magnifiques, n'est-ce pas ? Je les ai collectionnés pendant de nombreuses années puis je me suis lassé, dit-il, mondain. Ils viennent du monde entier.

Herr déglutit, difficilement, comme un boa avalant un lapin. Il tournait en rond dans la pièce et semblait redécouvrir et apprécier son environnement à travers le regard de son invitée. Maryline se dit qu'on devait s'inquiéter de sa disparition. Elle pensa à Simon qui allait sûrement arriver d'un moment à l'autre, se demanda ce qu'elle devait faire en attendant. Fallait-il parler, telle Shéhérazade, pour l'empêcher de s'approcher d'elle ? Fallait-il se taire pour éviter de le décevoir en l'ennuyant ? Maryline sentait qu'Herr était un homme qui, déçu, pouvait être capable du pire.

— Dites-moi ce que je fais ici ? demanda-t-elle presque gaiement.

Herr se racla la gorge, serra les lèvres en embrassant le vide, sortit les mains de ses poches.

— Vous êtes venue pour connaître mon secret, n'est-ce pas ? Et comme tout le monde, vous vous êtes imaginé qu'on peut extorquer aux gens ce qu'ils ont de plus cher, en claquant des doigts, avec un peu de séduction. Je ne donne rien sans rien.

— Qu'avez-vous l'intention de me demander en échange ? demanda Maryline, doucement.

Elle n'avait pas peur. La fatigue chimique la mettait dans un drôle d'état, vaporeux et distancié. Elle regardait Herr, curiosité de plus dans la pièce surchargée. L'homme faisait son intéressant devant une femme qu'il était obligé de maintenir attachée pour qu'elle l'écoute. Il la regardait intensément, du fond de la pièce.

— Je veux profiter de votre beauté, l'avoir pour moi seul un moment. La première fois que je vous ai vue, je n'ai pensé qu'à une chose, vous mettre sous cloche, vous avoir.

— Comme une pièce de collection ?

— Une pièce unique ! ma chère, dit-il en riant nerveusement. Une pièce unique !

— Vous allez avoir des ennuis. Vous en avez déjà eu, dit Maryline.

— Ah, je vois que ce flic vous a renseigné, lança Herr.

— Que s'est-il passé avec cette femme ?

— Laquelle ? demanda Herr.

— Celle qui a voulu se suicider.

— Elle m'avait promis beaucoup mais elle n'était pas à la hauteur de ses prétentions. Les gens font beaucoup de manières, vous savez, ils vous promettent tous monts et merveilles et ils vous plantent là quand ils s'aperçoivent qu'il faut être plus ambitieux.

— Pourtant vous l'avez harcelée ?

— Non. Je ne l'ai pas harcelée ! Quel mot ridicule ! siffla Herr en serrant les poings. Je lui ai donné une seconde chance et elle n'a pas compris.

Herr s'approcha de Maryline, sortit de sa poche un petit flacon rempli de gélules. Il en fit tomber une dans le creux de sa main et demanda à Maryline d'ouvrir la bouche. Une intuition lui commandant de ne pas résister, elle avala le somnifère sans discuter. Herr fit un sourire grimaçant et Maryline eut un flash. Depuis qu'elle l'avait vu la première fois, elle se demandait à qui il ressemblait. Édouard Herr était la copie conforme du bouchon de bois sculpté dont son père se servait pour refermer ses bouteilles de porto. Enfant, elle avait eu peur de cette tête taillée au couteau mais avait finalement gardé cette kitscherie devenue précieuse après la mort de son père. Elle s'endormit en souriant.

Maryline se réveilla en pleine nuit. Elle n'avait plus de sang dans le bras gauche et le frotta contre l'accoudoir du fauteuil pour le faire circuler. À la lueur d'une petite lampe qu'il avait laissée allumée, Maryline découvrit Herr endormi, assis par terre à côté d'elle, animal de compagnie qui avait baissé la garde et se reposait près de sa maîtresse. Une de ses mains était posée à plat sur la méridienne, très près de sa cuisse. Maryline se demanda si cette main-là l'avait touchée pendant son sommeil. Le visage de l'homme était calme, ses traits avaient une souplesse impossible à l'état de veille. Il se guérissait de lui-même en dormant, pensa Maryline. Autour d'elle, les masques en pagaille, freaks hébétés en rangs d'oignon semblaient se rincer l'œil en attendant qu'il se passe quelque chose. Leurs bouches ouvertes s'étonnaient, s'extasiaient, ricanaient, menaçaient et remerciaient Herr de leur avoir offert cette visiteuse intéressante qui égayait leur longue nuit.

Maryline avait faim, soif et mal à la tête. Elle n'avait pas tellement peur pour sa vie, elle avait peur de manquer Simon. Elle pensa aussi à William. Elle se dit qu'il s'était éteint comme un sapin de Noël débranché à l'instant où elle avait vu Simon, implacable, s'encadrer dans la porte d'entrée de Ker Annette. Elle pensa à un tableau d'Edward Hopper qu'elle avait vu dans un musée à Washington avec William. C'était en hiver et la ville disparaissait sous la neige. Elle ferma les yeux pour retrouver la lumière mauve et bleue de la toile, la fausse mer et surtout cet homme blond de dos, debout sur un voilier blanc, parmi d'autres personnages qui ne comptaient pas. William était parti en éclaireur voir d'autres salles et Maryline, restée seule devant le tableau, avait pensé à Simon, resurgi d'un lointain passé. Ses certitudes avaient alors vacillé et elle avait eu pendant un court instant l'intuition qu'il pensait aussi à elle. Très vite, William l'enchanteur l'avait remise dans son sillage parfumé et gai et elle avait cessé de se souvenir.

Maryline sentit bouger à côté d'elle. Herr la regardait dans la demi-pénombre, de nouveau tendu et étouffant dans son col trop fermé, martyrisé par son âme. Ils échangèrent un drôle de regard, lourd, extrêmement dangereux, qui pouvait annoncer la catastrophe si l'un cillait un peu trop vite ou si l'autre détournait la tête un peu trop tôt. Ils étaient deux funambules sur un même fil tendu très haut, chacun dépendant du talent et des intentions de l'autre pour se maintenir en équilibre. Maryline se dit qu'il ne fallait pas parler, que le silence était de son côté. La folie de Herr était une folie de mots. Les yeux mi-clos, il semblait se protéger de quelque chose qui, dans la nuit, le blessait et lui brûlait la rétine. Paupières closes, offerte au regard de Herr, Maryline lutta contre le sommeil pendant un temps qui lui parut infini. Puis il se leva, se mit à tourner en rond dans la pièce, nerveux, le cou tendu comme celui d'une volaille. Ses lèvres dessinaient des mots qu'il ne formulait pas. Il s'arrêta au milieu de la pièce, regarda Maryline, hésita, se lança :

— Pourquoi l'aimez-vous ?

— Qui ?

— William, dit Herr, un peu étonné.

— Je ne suis plus sûre de l'aimer.

Herr suffoqua.

— Qui aimez-vous alors ? demanda-t-il très inquiet.

— Vous ne pouvez pas comprendre, répliqua Maryline, exaspérée.

— Bien sûr que je peux comprendre ! cria-t-il en se jetant sur elle.

Maryline hurla de peur. Herr cacha son visage sur ses cuisses qu'elle tenait serrées fermement. Il semblait aussi compact que le bois qui avait servi à faire le bouchon de porto. Il ne bougeait plus, la tête renversée dans sa robe. Tétanisée, Maryline regardait la nuque pâle de l'homme, sentait contre ses genoux battre son cœur. Il gémissait doucement, tel un animal souffrant. Puis il releva la tête et posa sa joue sur le ventre de Maryline.

— Nous mourrons ensemble, dit-il, empressé. William ne m'en voudra pas, je lui dirai que vous vous vouliez le quitter.

Maryline commençait à avoir peur. Les masques avaient tout à coup l'air de la laisser tomber, de la livrer à son sort de victime d'un fou qui les tenait enfermés dans une pièce oubliée depuis des lustres.

— Dites-moi pourquoi vous l'aimez, l'autre ? demanda Herr qui avait posé ses mains sur les hanches de Maryline. Je peux comprendre. Ce que je n'ai pas vécu, je l'ai lu.

— Ce n'est pas pareil, dit Maryline doucement.

Elle avait l'impression de parler à un enfant. Une nausée atroce lui monta de l'estomac.

— Si, c'est pareil. Je peux vous dire que c'est pareil. L'expérience est une idée. Pourquoi l'aimez-vous ? Lui ? Pourquoi ?

Maryline sentit l'urgence. Il fallait trouver quelque chose qui le calme. Mais comment calme-t-on les fous ? Elle n'en avait pas la moindre idée. Simon avait eu tort de le croire sain d'esprit.

— Parce que j'ai une dette envers lui.

— Une dette ? Herr se releva d'un bond. Une dette ? Il rit d'un rire de dément qui paralysa Maryline d'effroi. On n'aime pas quelqu'un pour ça, cria-t-il en pointant un doigt accusateur devant la bouche de Maryline.

— Si. On peut aimer quelqu'un pour cela, répliqua Maryline.

— Vous allez donner votre beauté à quelqu'un parce que vous vous sentez coupable ? C'est ça ?

— Oui. Et pas seulement ma beauté, ajouta-t-elle en souriant.

Maryline sentit qu'elle pouvait y aller. Herr était un pervers que la perversité des autres anéantissait. Il s'était éloigné vers la fenêtre, pour se protéger d'elle, sans doute.

— Vous avez tué cette fille ? demanda-t-elle.

Sortie sans que Maryline l'ait voulu, la phrase fit l'effet d'une bombe dans la pièce aux masques. Herr lui tournait le dos, caressait méthodiquement la tête d'un masque dogon, noir, chauve et bouffi.

— Non. Mais je ne l'ai pas empêchée de mourir.

— Pourquoi ?

— Parce qu'elle était laide et stupide. Elle me faisait penser à tous ces gens que je croise chaque jour dans la station, accrochés au bonheur immédiat qu'ils croient tapi partout et auquel ils pensent avoir droit de naissance. Herr prit un tabouret, s'assit face à Maryline. Nous sommes devenus des enfants qui réclament sans cesse qu'on s'occupe d'eux. Nous sommes devenus fragiles et larmoyants, nous pleurons pour un rien. L'orgueilleux est devenu un fat et l'esthète un onaniste dangereux. Pouvez-vous comprendre ? dit-il. Je déteste mon pessimisme, vous savez. C'est une maladie honteuse que je traîne depuis l'enfance. Je m'ennuie et je tourne en rond, je suis un fauve sous une pendule. J'étais fait pour l'action mais l'éducation qu'on m'a donnée m'a bridé à jamais et contraint à la solitude. L'ennui rôde sans cesse et mon énergie se venge. Elle bouillonne à vide dans mon corps et dans ma tête. Herr desserra son col pour ne pas étouffer. J'aurais dû faire et je n'ai qu'été. Heureusement je vous ai, ajouta-t-il, en s'approchant d'elle.

Maryline comprit que la solitude immense de cet homme était un vivier où proliféraient les rêves dangereux. Herr avait oublié les règles fondamentales qui séparent nos désirs de leur réalisation et les autres de nous-mêmes.

— Je l'ai éjectée de ma voiture sur la côte sauvage, reprit-il. Ensuite, j'ai raccompagné William et Flag. Au lieu de rentrer chez moi, je suis retourné sur la côte. J'ai vu la fille descendre dans la crique et je l'ai suivie. Quand elle m'a vu, elle s'est mise à rire, un rire de folle, un rire médiocre qui puait le gin. Herr fit une grimace de dégoût qui lui déforma tout le bas du visage. Elle s'est approchée du rivage en titubant, reprit-il. Elle était si saoule qu'elle tenait à peine debout. Elle est entrée dans l'eau. « Viens me chercher ! » criait-elle, « viens me chercher ! » Herr imitait mal une voix de femme vulgaire et ivre. Il prit sa tête dans ses mains. « Viens me chercher », chuchota-t-il pour lui-même. Elle marchait de plus en plus loin du rivage. Elle se retournait en riant, me faisait signe d'approcher. Elle trébuchait, se relevait, trébuchait de nouveau. Ensuite… Herr hésitait. Il releva la tête, regarda Maryline, reprit. Ensuite, très lentement, elle a disparu une première fois dans l'eau. Elle n'avait plus pied et elle n'arrivait pas à nager. Elle ne riait plus. Elle était en train de se noyer et elle le savait. Elle me faisait des signes, je revois sa bouche grande ouverte, comme une gueule. De loin, je la voyais cracher, essayer de s'éjecter de la mer de toutes ses forces. Je suis resté un moment, j'ai attendu. Elle n'est plus remontée.

Le visage défait, il saisit le masque africain et l'envoya valdinguer à l'autre extrémité de la pièce.

Il regarda Maryline. Derrière lui, les masques semblaient faire de même. Tous attendaient. Des détails, un verdict, un jugement. Elle ne savait pas quoi penser. Son esprit d'ordinaire disponible tel un ami discret ne lui faisait aucun signe.

— Pourquoi ? demanda-t-elle à Herr. Pourquoi êtes-vous retourné sur la côte sauvage au lieu de rentrer chez vous ?

Herr fit de la main un signe d'indifférence.

— Pourquoi ? insista Maryline.

— Je voulais la tuer, dit-il.

Maryline était horrifiée. La mort était lâchée, elle rôdait désormais dans la pièce.

— Vous avez peur, dit Herr. Il avait l'air épuisé et presque indifférent. Je ne l'aurais peut-être pas fait, je ne saurai jamais.

Pendant un long moment, perdus dans leurs pensées, ils s'ignorèrent. Puis Herr la regarda avec une inquiétante intensité.

— Pourquoi William, pourquoi cet inconnu plutôt que moi ? cria-t-il. Pourquoi ? Herr la dévorait de ses yeux fiévreux. Dites-le-moi et je vous libère.

Maryline avait oublié qu'elle était prisonnière. Elle était heureuse d'avoir enfin l'occasion de parler de Simon à quelqu'un.

— Ce n'est pas une histoire de mots, dit-elle.

— Si, si ! s'énerva Herr. Tout est mots. Essayez.

Maryline prit son temps. Il n'était pas question de bâcler.

— Un jour quand nous étions gosses, nous devions avoir sept ou huit ans, les estivants étaient partis et nos parents nous avaient emmenés sur la côte sauvage avant la rentrée. La mer était basse et nous jouions sur les rochers à un jeu que nous avions inventé. Il s'agissait d'atteindre le premier le rocher qui nous semblait le plus loin du rivage. Le premier arrivé devait s'asseoir et crier « j'y suis ! ». Ce jour-là, j'avais pleuré, pour une raison que j'ai oubliée. Dès que nous avons commencé à jouer, j'ai vu Simon, c'est son nom, trébucher, glisser, inventer des obstacles, des douleurs dans la cheville. Il me donnait du temps. Simon, qui détestait perdre, organisait son échec parce qu'il m'avait vue pleurer. Je me suis dépêchée d'arriver le plus vite possible à l'extrémité de mon rocher. Je me souviens que plus rien au monde ne comptait. Il fallait que je l'aide à m'aider, c'était une question de vie ou de mort. Maryline ferma les yeux. Je me souviens d'une très forte odeur de vase, du vent de septembre qui glaçait mes bras mouillés, de la violence de nos sentiments enfantins. C'est ce jour-là, à cet instant-là, j'en suis sûre, que Simon est entré à jamais dans mon cœur.

Maryline rouvrit les yeux, regarda Herr. Elle eut soudain pitié de cet homme. Le spectacle de sa solitude était effrayant. Il regardait

Maryline sans la voir. Essayait-il d'imaginer Simon et Maryline enfants dans leur crique à marée basse ? Cherchait-il dans sa mémoire ce qui avait fait de lui un estropié qui rêvait de meurtres et laissait les femmes se noyer dans les criques ? Il se leva, s'approcha d'elle, défit les liens qui la retenaient prisonnière. Herr avait perdu sa superbe et semblait vouloir en finir au plus vite avec elle. Il fit une boule des ficelles qui avaient retenu Maryline prisonnière et les mit dans sa poche.

— Je suppose que vous allez courir au commissariat pour me dénoncer, dit-il d'un air méprisant. Je me suis trompé sur votre compte, vous êtes comme tout le monde. En bonne santé et la tête vide.

Maryline, libérée, sentit une bouffé de rage l'envahir. Elle comprit qu'elle était capable de tout. Elle s'approcha très près du visage de Herr. Il ne cilla pas, soutenant son regard.

— C'est vrai, je vis dans un monde fini, dit-elle. Un monde où je peux me laisser aller sans crainte, un monde où la mort ne tient aucun rôle et où le plaisir peut avoir une fin heureuse. Je ne vous dénoncerai pas parce que j'ai pitié de vous et parce que William vous estime. Je ne suis pas sûre que vous méritiez son amitié mais je ne cherche pas à comprendre. Vous aviez plus à perdre que moi dans cette mise en scène ridicule, je me trompe ? Vous avez tort sur toute la ligne et vous le savez. Je suis sûre que même votre chat a pitié de vous. Prenez l'air, monsieur Herr, prenez l'air et desserrez ce col qui vous étouffe.

Elle passa rageusement un doigt entre le col et le cou maigre de l'antiquaire, tira avec violence sur sa chemise dont le bouton du haut céda. Il la laissa faire tout en soutenant son regard. Maryline comprit alors qu'il était arrivé à ses fins, qu'il avait cherché son mépris et l'avait obtenu. Dégoûtée, elle se leva et sortit de la pièce sans se retourner.

Dans le hall, elle croisa Des Esseintes qui s'enroula autour de ses chevilles avant de disparaître derrière un fauteuil. Elle retrouva le jardin pelé, sous la lune blanche. Son vélo avait disparu et elle rentra à pied.

8

C'est Miss Merriman qui la première s'alarma de l'absence de Maryline. Seule dans la grande maison, elle guettait les bruits, errait d'une pièce à l'autre. En fin d'après-midi, elle appela William, Georgia puis Annick, sans succès. Elle n'avait pas le numéro d'Osamo et Daito mais elle trouva sur le pense-bête de l'entrée, sous le numéro des pompiers et celui de la clinique, le numéro du commissariat de la station. Elle demanda à parler à l'inspecteur Schwartz.

Simon tournait dans la pièce pendant que Miss Merriman déroulait les événements de la veille, Nantes, l'anniversaire, le cidre artisanal qui les avait mis dans un drôle d'état. « À moins que ce ne soit ce vin de fraise », dit-elle, songeuse. Simon lui demanda si Herr avait été invité. Miss Merriman lui répondit que non, outrée par l'éventualité. Elle raconta leur visite chez l'antiquaire, l'avant-veille, à cause de la bague des Verchueren.

— Vous êtes sûre qu'il s'agit de la même bague ?

Simon était si intéressé qu'il avait cessé sa danse de derviche dans le salon pour s'adosser à la cheminée.

— Il nous a confirmé que la femme de Verchueren la lui avait vendue. Dans le dos de son mari, ajouta Miss Merriman, le regard en dessous. Je pense à des dettes de jeu.

Miss Merriman plissa les yeux, se dit qu'elle n'avait pas vécu des moments aussi intéressants depuis des années et gratifia Simon d'un sourire radieux. Elle regarda son téléphone posé à côté d'elle sur le canapé.

— Elle est toujours rentrée à cette heure-ci.

Flag arriva alors, décrivant sur le gravier de la cour un cercle ésotérique presque parfait avant d'immobiliser sa mobylette à quelques centimètres du perron. Surpris de trouver le studio vide, il entra dans la maison où il tomba sur Miss Merriman et Simon. Il retira son casque, découvrant un visage blême mais récemment rasé, qui masquait mal les ravages de l'herbe et du cidre sur son estomac névrosé.

Non, il n'avait pas vu Maryline et ignorait où était William. Oui, cela lui semblait anormal. Simon comprit que ceux qui gravitaient autour du couple Halloway savaient toujours où l'un et l'autre se trouvaient. Flag parla à Simon de l'inconnu qui ne lâchait plus William. Miss Merriman se souvint alors qu'elle les avait vus partir en début d'après-midi dans la voiture du jeune homme.

Simon resta un moment dans le jardin, passa un coup de fil au commissariat puis aux Verchueren. Ils avaient retiré leur plainte.

Mme Verchueren avait avoué à son mari avoir perdu sa bague dans la crique, oui, celle de la morte, confirma-t-elle. Non, elle ne l'avait pas vendue à Herr, oui, elle avait eu peur des conséquences et avait menti pour avoir la paix. Elle était ravie qu'on l'ait retrouvée, c'était inespéré. Simon, de son côté, avait la preuve que Herr était descendu dans la crique. Il remonta dans sa voiture et fila chez l'antiquaire.

Il n'était pas très inquiet de la disparition de Maryline. Il prenait sa désertion pour un signe qui lui était destiné, un clin d'œil à la liberté qu'elle s'octroyait enfin à l'égard d'un entourage qui l'étouffait. Quant à la disparition de William, ce n'était pas une disparition. Qu'un homme soit absent de chez lui à sept heures du soir n'avait rien d'anormal, sauf pour un Flag qui se croyait maître plutôt qu'esclave et copropriétaire du copyright de l'agenda de William.

Simon s'arrêta devant la villa Esteraza. L'idée de devoir affronter Herr lui déplaisait tout à fait. L'antiquaire faisait partie de cette clique que Simon détestait depuis toujours. Il y avait beaucoup d'argent dans la station, de l'argent discret amassé génération après génération par des entrepreneurs besogneux, jusqu'aux négriers nantais dont certains se prévalaient encore de leur fortune douteuse comme d'un pedigree. Lorsqu'il avait affaire à eux et à leurs parents pauvres, nobliaux vendéens aussi présents dans la station, Simon sentait tomber sur lui une chape de mépris. Aucune autorité ne semblait les intimider. Ces gens-là n'étaient pas au-dessus des lois, ils respectaient avec négligence les règles d'un jeu ennuyeux dont Simon était le comptable obligé. Herr lui tendit une main pleine de morgue et d'ennui.

Confronté à l'évidence, l'antiquaire ne lâcha rien à propos de la bague.

— Elles m'ont raconté l'histoire bizarre d'une femme qui m'aurait apporté la bague. J'ai laissé dire la vieille dame qui avait l'air de battre la campagne, excusez-moi ! J'ai les papiers de la vente au magasin, je vous les donnerai. Tout est en règle, ajouta Herr, comiquement accoudé à l'éphèbe en plein élan qui semblait vouloir le pousser de son chemin. Simon lui demanda s'il avait eu récemment la visite de Maryline. La réponse négative de Herr ne le surprit pas et il prit congé sans insister.

Il repartit en direction de la côte sauvage et sonna chez Rival. C'est Erwan qui ouvrit la porte. Son père était à la capitainerie. Simon cuisina le jeune homme à même le seuil, avec une rudesse qui s'avéra payante.

En route pour le magasin d'antiquités, il reçut un appel du commissariat et fit demi-tour au rond-point de la mairie. Il pila devant la porte des urgences de la clinique où il trouva Flag décomposé qui l'attendait en partageant un joint avec Georgia, plus excédée qu'inquiète, semblait-il. Simon voulut voir le médecin qui le rassura sur l'état de William. On l'avait récupéré à l'arrière de la voiture de l'inconnu, comateux mais à temps, ayant ainsi évité de justesse l'overdose qui l'aurait tué. Tout portait à croire que le type était un dealer et qu'il était urgent de mettre la main dessus avant qu'il ne se fasse la malle. Simon appela le commissariat et mit son binôme sur le coup grâce aux informations offertes sur un plateau par Flag qui, dans son malheur, savourait son plaisir. Le médecin suggéra fermement à Flag et à Georgia de rentrer chez eux et informa Simon qu'il ne pourrait pas interroger William avant le lendemain matin. Le cœur du guitar hero avait morflé, on devait le laisser dormir et ce n'était pas négociable.

Simon s'arrêta au magasin d'antiquités. La vendeuse baissait la grille. Elle lui assura ignorer l'existence d'un contrat de vente concernant la bague Art déco. Par pur acquit de conscience, elle en chercha la trace dans une pile de factures, sans succès.

On mit la main sur le dealer alors qu'il s'apprêtait à monter dans le direct de 20 h 48 pour Paris. Simon était à cran. En route pour le commissariat, il se demandait s'il ne venait pas de reperdre Maryline. Dès qu'elle saurait que William avait failli mourir, elle redeviendrait l'autre et il ne pèserait plus très lourd dans la balance. Il ouvrit la fenêtre en grand. Le soir venait avec son humidité froide. Il fit un détour par les marais salants pour hurler sa rage sans qu'on l'entende. Manquant renverser un cycliste, il s'arrêta sur le bord de la route pour se calmer. Au milieu des dômes de sel que la lune montante couvrait de bleu, de la platitude des marais, hérissés çà et là de courlis et de mouettes, la rage de Simon se transforma à vue en une mélancolie lasse, moins saine mais plus vivable que sa rage. Il était sûr que sa nostalgie était la même que celle de Maryline, qu'elle n'était pas revenue en Bretagne pour sauver William mais pour retrouver la mémoire. Malgré William, malgré Georgia, il lui faisait confiance. C'était irrationnel. Tous autour de Maryline jouaient perso et contre lui pour protéger leur avenir. William aurait beau saupoudrer ses paillettes, jamais il ne parviendrait à faire disparaître du col de Maryline cette vieille et magnifique odeur de chien mouillé qu'elle partageait avec ceux d'ici. Simon balança quelques coups de pied dans les pneus de sa voiture puis retourna en ville, épuisé par ses états d'âme. Le dealer en paya les frais. Simon manqua singulièrement de psychologie ce soir-là lors de l'interrogatoire qu'il mena à un rythme effréné. S'autorisant deux ou trois claques, il obtint du dealer bien plus que ce qu'il attendait. Après quelques contradictions, relevées à propos par Simon affamé et très énervé, le type cracha le morceau pour empêcher le flic fou furieux de tomber dans la bavure.

Il expliqua à Simon qu'il était venu de Paris pour vendre sa dope dans la station et qu'il savait par un de ses anciens musiciens que William Halloway habitait dans le coin. Avant d'entrer en contact avec lui, il avait pas mal tourné autour de Ker Annette. Il attendait son heure pour le trouver enfin seul. C'est comme ça que le soir de la mort d'Elyne Folenfant, il se trouvait devant la maison et avait vu Herr pousser la fille hors de la voiture puis déposer William devant chez lui. Il avait vu l'antiquaire revenir une quinzaine de minutes plus tard et descendre dans la crique derrière la fille. Il avait aussi vu le gamin d'en face planqué dans un buisson de queues de lièvre avec une paire de jumelles. Il raconta à Simon qu'il avait assisté à une scène dans la crique qu'il n'était pas près d'oublier. La fille, complètement saoule, avait marché dans l'eau, de plus en plus loin. Elle criait, elle voulait que Herr la rejoigne. Lui ne bougeait pas. Il était debout dans le sable, les mains dans les poches de sa veste et la regardait s'éloigner.

— La fille a commencé à trébucher sur les rochers, dit-il, et elle est tombée plusieurs fois dans l'eau. Le type n'a pas bougé. Elle s'est noyée sous ses yeux.

— Et sous les vôtres, ajouta Simon en regardant son collègue.

— Je n'étais pas en état. Je...

Simon lui coupa la parole, soupira.

— Ça va, dit-il en signifiant à son collègue de l'emmener.

Simon éteignit sa lampe de bureau et dans la pénombre pensa à Elyne Folenfant, morte noyée sous le regard de trois hommes qui n'étaient pas intervenus pour la sortir de l'eau.

À onze heures du soir, Maryline n'avait pas réapparu. Simon retourna à Ker Annette où régnait un triste n'importe quoi qui le mit mal à l'aise. C'était le signe avant-coureur du drame qui les attendait tous : le départ inévitable de Maryline. Le mari d'Annick était toujours en garde à vue au commissariat mais la femme de ménage n'était pas retournée chez elle de peur d'y rencontrer quand même son mari. Elle s'occupait de Miss Merriman qui commençait à entrevoir avec d'infinis regrets un retour prématuré à Boston. Daito suivait Georgia partout et Flag s'était mis sous la protection d'Osamo comme s'il était un saint local. On parla de William autour de la table de la cuisine en mangeant des chips et du caramel au beurre salé à même le pot. Il n'y avait plus de vin de fraises et les Japonais apportèrent du saké. Osamo lança la conversation sur la différence que le tacticien doit faire entre regarder et voir. Simon arriva à la fin de la première bouteille et accepta un verre de liquide tiédasse qu'il trouva infect. Il comprit vaguement qu'il ne devait y avoir aucune différence entre regarder et voir pour être victorieux. Se sentant en trop et presque responsable du chaos, il prit congé sans que personne le retienne.

Il erra dans la station une partie de la nuit, passant des dizaines de fois devant la villa Esteraza plongée dans l'obscurité. Il s'arrêta à la clinique, monta dans la chambre de William, le regarda dormir. Il le trouva vieux et fragile en blouse de papier bleu pâle et sans ses colifichets. Vers une heure du matin, il rentra chez lui, décision prise. Puisqu'il faudrait arrêter aussi Erwan si on accusait Herr et le dealer de non-assistance à personne en danger, Simon décida qu'Elyne Folenfant s'était noyée sans témoins. Il le fit pour Erwan, dont la solitude lui rappelait parfois celle qu'il avait connue au même âge, et pour Rival, trop fragile pour supporter encore des coups. Il décida de se taire pour Maryline qui n'accepterait pas qu'il touche à la réputation de William. Vers trois heures du matin, il reçut un SMS de son collègue reparti en planque devant Ker Annette, lui annonçant le retour chez elle de Maryline, à pied.

Maryline trouva la maison vide, sentit la vie derrière les portes fermées, alvéoles intimes où chacun dormait gentiment. Elle ne voulut pas réveiller William et donner en pleine nuit des explications bidon, ouvrit le canapé-lit de son bureau et se coucha tout habillée. Sa marche nocturne l'avait nettoyée de sa rage. Elle imagina Herr seul dans son salon, face au portrait de cette garce affreuse qui le surveillait d'outre-tombe. Elle avait compris pourquoi William aimait Herr. Ils étaient tous les deux des fils de garce. À vie dans l'œil du cyclone, ils n'avaient aucune chance de connaître un jour de paix. Même le paradis leur était impossible, de peur d'y retrouver leurs mères. À la différence de William, Herr aimait sa souffrance et avait besoin de lier les mains de ses Shéhérazade de passage pour les retenir.

Incapable de dormir, Maryline descendit au rez-de-chaussée, reconstitua la soirée grâce à des indices laissés dans chaque pièce par les occupants de la maison. La cuisine sentait le caramel. Elle se dit qu'elle aimait l'existence qu'elle s'était choisie. Elle aimait qu'il s'y passe ce qui s'y passait, les visiteurs de l'été, leur bien-être, leur étrangeté, même leur laideur et leur bêtise qu'elle pouvait trouver drôle ou exotique.

Elle entendit son téléphone sonner dans son sac. C'était Simon qui exerçait son nouveau droit de propriété. Supporterait-elle longtemps d'appartenir à cet homme-là ? se demanda-t-elle en coupant la sonnerie. En vingt ans, William n'avait jamais appelé pour lui demander où elle était. Elle vérifia que tout était à sa place pour le petit déjeuner du lendemain et remonta se coucher. Son absence, quoi qu'il en soit, n'avait empêché personne de dormir dans la maison silencieuse et ce constat la fit sourire.

Annick trouva Maryline endormie dans son bureau. Georgia fut chargée de lui annoncer que William avait failli y rester et qu'il était à la clinique. Simon l'appela dans la foulée, lui demanda où elle avait passé la soirée. Elle tint la promesse faite à Herr de ne pas le dénoncer et répondit évasivement aux questions qu'il lui posa. Georgia roula des yeux très lourds contre sa mère qu'elle devait rendre responsable du carnage. Elle poussa jusqu'au bout la provocation en engloutissant sous son nez deux croissants graisseux coup sur coup qu'elle fit passer avec un bol à ras bord de café noir. Elle annonça sa visite à la clinique à l'heure du déjeuner après la conférence de presse du maire et avant le départ de la course des vieux gréements. Elle ajouta qu'il ne fallait pas réveiller Daito qui dormait dans sa chambre. Maryline et Miss Merriman échangèrent un long regard las. Puis Maryline monta dans l'Austin, roula jusqu'à la clinique en longeant la grande plage. Elle voulait profiter de la douceur de la mer qui était capable certains matins de ne faire aucun bruit. Des cavaliers galopaient sur la grande plage déserte, juste au bord de l'eau. Les traces de pneus des tracteurs qui avaient plus tôt nettoyé la plage striaient le sable de mille cicatrices.

Deux infirmières fumaient devant la porte d'entrée de la clinique. Maryline reconnut immédiatement dans leur regard ce tilt particulier qu'elle avait toute sa vie perçu chez ceux qui savaient qui elle était. L'hospitalisation de William avait dû faire le tour de la station et essaimerait bientôt au-delà, si ce n'était déjà fait.

Comme averti par des ondes, le médecin sortit de son bureau au passage de Maryline dans le couloir du premier étage. William était réveillé. Il allait bien mais il l'avait échappé belle. Le type dévisageait Maryline avec une extraordinaire curiosité. À huit heures du matin, c'était plus énervant qu'à huit heures du soir et Maryline écourta l'entretien pour se soustraire à l'inquisition. Elle trouva la chambre, s'enferma avec William qui prenait son petit déjeuner.

Ces deux-là ne se firent aucun cinéma et si William apparut dans son élégance retrouvée, en chemise moirée et les doigts ornés de leurs crânes argentés, ce n'était pas pour épater sa femme mais parce que le naturel était revenu au galop, hôpital ou pas.

— Je suis toujours surpris par le bruit qui règne dans les hôpitaux la nuit, dit William en retirant le sachet de thé de sa tasse. On entend un tas de trucs bizarres qu'on n'arrive pas à interpréter et on se met à avoir peur bêtement.

William rit. Maryline reconnut sa façon de faire, les hostilités déclarées à couvert. Il avait parlé de sa peur et l'avait changée de contexte. C'était un art chez lui dont elle était la seule à comprendre les subtilités.

— J'ai reçu un SMS du commissariat, tout à l'heure, dit-elle.

William sourit.

— Oui ? dit-il, léger.

— On a arrêté...

— Très bien. Son héroïne était coupée, une vraie merde. Tu as faim ? Tu veux que je te fasse apporter quelque chose ?

Maryline l'arrêta alors qu'il allait appuyer sur la sonnette d'appel, comme à l'hôtel on appelle le room service.

— Je voudrais savoir pourquoi tu as accepté de laisser ce mec entrer dans notre maison, William.

— Oh ! Moi aussi j'ai un tas de questions à te poser, honey ! Il regarda par la fenêtre pour calmer un début d'énervement. J'ai l'impression qu'on ne s'est pas vus depuis longtemps, que nous sommes partis en voyage chacun de notre côté et que nous avons un tas de choses à nous raconter.

William rit de nouveau, repoussa le plateau à roulettes.

C'était la chose la plus scandaleuse et la plus incongrue de voir William dans un lit d'hôpital. Assise en face, Maryline se mit à pleurer, cacha son visage dans ses mains.

— O.K., honey ! Please, don't cry. Please !

Maryline releva la tête, attendant la suite. L'infirmière frappa, entra sans attendre et salua Maryline. William demanda du thé pour deux. L'infirmière, surprise, évalua la situation, finit par accepter avant de repartir avec le plateau. La situation était, de fait, exceptionnelle.

— Tu savais pour Herr, n'est-ce pas ? Tu savais qu'il était revenu dans la crique après t'avoir déposé. Il te l'a dit dès le lendemain et tu l'as couvert au risque d'être accusé à sa place.

— Tu détestes cet homme parce que tu ne le connais pas, reprit William. You know, that girl didn't really want to live.

William utilisait toujours l'anglais pour expliquer les idées dont il n'était pas fier. Comme s'il se donnait une chance de n'être pas compris, pensait Maryline.

— Oui, les théories d'Osamo ! ricana-t-elle. Vivre et laisser vivre. Vivre et laisser mourir, soupira-t-elle.

— Elyne Folenfant était la pire des choses qui pouvait arriver à cet homme. Elle était le bruit et la fureur qu'il a toute sa vie tenté d'éviter.

L'infirmière entra sans frapper, posa deux tasses de thé fumant sur la table de nuit, s'éclipsa telle une domestique.

— Pourquoi as-tu pris cette putain de dope ? cria Maryline sans prévenir. Elle posa sa tasse in extremis avant qu'elle ne se répande sur le lino de la chambre. Je t'en veux tellement d'avoir pris ce risque !

William regarda Maryline gentiment, lui sourit.

— Je n'avais plus très envie de vivre ces derniers temps. C'était une occasion rêvée d'en finir avec tout ça.

— Tout quoi ? cria Maryline, debout et prête à entendre le pire.

— Toi, murmura-t-il. Il tendit la main vers Maryline qui se retourna vivement. Tu peux t'en aller si tu veux. Je te donne mon imprimatur. Il rit. Mon imprimatur ! C'est bien ça, non ? Maryline de dos manqua le désespoir qui assombrit les traits de William. Quand elle se retourna, il avait retrouvé son air de ne pas y toucher. J'en profiterai pour voyager, dit-il, rêveur. Oh ! attention ! Je ne dis pas que tu m'en as empêché, Maryline, non, ta présence vaut tous les voyages.

— William ! cria Maryline. Arrête tes conneries ! Arrête ! Plus tu parles, moins tu parles, c'est insupportable !

— Osamo pense que le noir est dans le blanc et le blanc dans le noir, n'est-ce pas. Pourquoi choisir alors ? Pourquoi décider qu'il y a un choix à faire ?

Flag entra au moment précis où Maryline allait dire à William qu'elle le quittait. Elle trouva extraordinaire d'avoir été arrêtée net dans son élan et se plia aux circonstances comme on baisse la tête face à une force qui nous dépasse. Elle ne pouvait pas lutter, cet homme était un magicien. Elle se dit qu'elle avait beau avoir vu le spectacle des centaines de fois, elle n'avait toujours pas compris le truc. Dans le rôle de la femme coupée en deux, elle sentait qu'elle allait le laisser décider et recoller les morceaux, roublard et élégant, as usual.

Flag leur demanda s'ils « étaient au courant ». L'air allumé, il comprit qu'il serait le premier à leur apprendre la nouvelle de la mort de Herr.

— On l'a retrouvé dans son salon.

Maryline sut avant que Flag ne donne les détails que l'antiquaire avait été retrouvé mort à droite de son canapé, là où la femme du tableau vous voyait le mieux. Il s'était tiré une balle dans la tête.

— Shit ! balança William. Oh ! Shit !

— Il a laissé quelque chose ? demanda Maryline, inquiète. Une lettre ? Des explications ?

— Rien, dit Flag en s'asseyant sur le bord du lit après avoir délicatement posé la guitare de William contre la table de nuit. Il y avait des bouts de cervelle sur la moquette. C'est cette même cervelle qui produit nos idées à la chaîne, vous vous rendez compte ?

Maryline leva les yeux au ciel, c'était un tic quand pointaient les théories de Flag. En général, il en prenait acte, regardait si William l'écoutait et continuait ou non, en fonction de lui. William regardant fixement sa tasse, il laissa tomber son histoire de cervelle. Flag en tout cas était plutôt satisfait de la mort de ce type qui ne l'avait jamais respecté.

Maryline était effondrée. William aussi, qui faisait une drôle de tête, envisageant sans doute en tableaux tournants son avenir immédiat dans la station sans son alter ego.

— Qu'est-ce que tu trouvais à ce type ? demanda imprudemment Flag.

— Cet homme aimait la vie plus que nous tous réunis, dit William, très tendu. Tout lui prouvait le contraire, chaque jour. Tout le blessait parce qu'il était resté fragile, une mauvaise enfance je crois. Eh bien, il attendait pourtant du lendemain que l'amour le foudroie, que la beauté tombe du ciel, à ses pieds, que l'intelligence fuse de partout comme un feu d'artifice. Il avait résisté à toutes les facilités et je trouve ça admirable. Les grands pessimistes sont des gens très courageux. Non ? demanda-t-il aux deux autres, moroses et perplexes. Ce type-là n'arrivait pas à croire ce qu'on lui disait, vous comprenez ? Il est mort de solitude et c'est moche, Flag, c'est vraiment moche. Toi, tu ne seras jamais seul, tes organes te tiendront toujours compagnie.

Flag regarda dans le vague, choqué par la soudaine méchanceté de William à son égard. On resta un moment silencieux. Maryline prit la décision solennelle de ne plus jamais parler de Herr avec William. Elle enterra leur malencontreuse confrontation au plus profond de sa mémoire pour laisser le guitar hero en paix avec l'image à son goût qu'il s'était faite de l'antiquaire. William attrapa sa guitare, se mit à jouer doucement des airs de son dernier album, pour la première fois en dix ans. Flag et Maryline se regardèrent sidérés. Puis, Maryline considéra qu'au fond il était plus normal qu'il joue ses chansons que celles des autres. Elle se dit qu'ils avaient peut-être vécu dans le mensonge depuis leur retour de New York et qu'ils glissaient doucement vers une sincérité gagnée dans la douleur.

Le médecin passa vers onze heures, trouva William en tête à tête avec sa guitare, chantonnant doucement pendant que Flag dormait sur le lit et Maryline la tête posée sur l'accoudoir du fauteuil. Il les réveilla, leur demanda de quitter la chambre. Il voulait examiner William une dernière fois avant de le « relâcher », disait-il, comme si William était un fauve ou un prisonnier.

À midi, William était libre, à la place du mort dans l'Austin décapotée, Flag à l'arrière la guitare sur les genoux. William demanda à rentrer par le front de mer, doucement, pour « profiter de cette journée magnifique ».

Épilogue

À la fin de l'été, la station balnéaire se vida en quelques jours, transformée soudain en décor de cinéma abandonné. Et comme chaque année, le spectacle grandiose de l'automne se joua sans spectateurs, ou presque. La saison morte fit ressortir ses vieux. Momentanément gobés par la foule des estivants, ils reprirent possession des lieux, résistant au froid, à l'ennui, aux magasins fermés, au vent qui vous claquait les joues. Les hortensias rouillèrent dans les jardins. Du haut des falaises de la côte sauvage, les rochers avaient des têtes de caïman et, tenté de nouveau par le vide, on picolait pas mal pour se préparer à l'hiver. Les cormorans faisaient sécher leurs ailes sur les pierres, l'œil perdu à l'horizon dans la frise de pétroliers en partance pour l'Afrique. La mer huîtreuse oubliait de séduire, faute de combattants, et les pins centenaires continuaient à mourir dans les jardins, leurs vieux troncs en peau d'éléphant lacérés par les embruns.

Maryline ferma les chambres d'hôte et chacun reprit ses marques dans la maison. Il avait fait beau presque tout l'été, un miracle dont on parlerait longtemps dans la station. Maryline fut invitée au pot du syndicat d'initiative où elle revit Reine Personnic avec plaisir. Elles échangèrent des souvenirs. Reine parla de Simon sans savoir et Maryline se dit qu'elle était décidément condamnée à l'omerta avec ses amies d'enfance. Elle reprit ses marches sur la grande plage, huit kilomètres tous les matins, contrainte à sa vie intérieure par le vent qui la rendait sourde. Elle passait souvent devant la villa Esteraza abandonnée. Elle s'inquiétait pour le paquebot à quai dans son jardin pelé car, dans la station, les maisons supportaient mal qu'on les abandonne. Livrées au vent, à la pluie et au sel, elles vieillissaient vite et sans noblesse. En quelques mois, elles devenaient spectrales, inquiétantes et choquantes. Les plus anciennes ne tombaient pas en ruine comme si quelque chose dans l'air marin les conservait, mais mal. De la rue, on imaginait leur haleine viciée et on évitait de les regarder pour conjurer le sort. Édouard Herr n'avait pas de descendance et l'ascendance ne se bousculait pas pour s'occuper des murs et du chat, qui errait dans les rues alentour.

Maryline avait accompagné William et Flag à l'enterrement de Herr. Il avait laissé une note d'instructions très précises pour le déroulement de la cérémonie. Hormis le prévisible « ni fleurs ni couronnes », il avait exigé une messe. Sous le chalutier qui tanguait doucement, pendu à son câble dans l'église ensoleillée, on écouta un peu gênés la scie des *Variations Goldberg*, jouées sans talent par un neveu du défunt qui avait réclamé sa présence. Maryline en profita pour observer la famille de l'antiquaire, venue pour la forme et sans larmes. Une femme attira son attention qui ressemblait au portrait du salon. Bien que très âgée et accrochée à une canne, elle en avait la même dureté hautaine. Maryline supposa que c'était sa mère. À côté d'elle, un très vieux monsieur en costume démodé regardait alternativement ses pieds et la rosace. Le reste de la famille était du même tonneau. Ils sentaient la ville et l'envie d'en finir au plus vite. William avait tenu à lire un hommage à son ami mort qu'il avait refusé de montrer à Maryline avant la cérémonie. Très inquiète, elle le regarda remonter la nef jusqu'à l'autel. Il régla le micro et l'attention fut soudain à son comble dans la petite église. Le guitar hero avait pour l'occasion passé une veste en velours lie-de-vin très cintrée à col de velours pelle à tarte et une flamboyante chemise à jabots. La taille bien prise dans son « moule-couilles » du soir en satin ardoise, il sourit à l'assistance et sortit de sa poche une feuille de papier pliée. Maryline et Flag retinrent leur souffle. D'une voix douce et posée, l'accent américain très maîtrisé, il fit de son ami un portrait magnifique et ponctué d'anecdotes totalement fantasmées. À l'évidence, il se vengeait de ceux qui n'avaient pas été là de son vivant. On écouta, médusé, l'hagiographie bien écrite, comme si William évoquait un parfait inconnu. Au cimetière, William balança dans la fosse une flopée de fleurs blanches puis tourna les talons de ses boots en croco pour ne pas saluer la famille qui attendait patiemment sous le cagnard que tout ce cirque finisse.

Le dossier Elyne Folenfant avait été clos. Erwan avait repris les cours, Georgia aussi, comme médaillée par ses nuits d'amour avec Daito. D'abord snobé, Titouan reprit peu à peu du service auprès d'une Georgia à peine aimable et mal remise de la féminité gracile du jeune Nippon. Maryline se demanda ce qu'il adviendrait de ce premier amour dans l'existence de sa fille. Qui sait, pensa-t-elle, si elle ne chercherait pas toute sa vie à retrouver l'exotisme de cette brève rencontre, étalon or de l'amour absolu. Un dimanche de septembre, Georgia, qui semblait déprimer depuis la matinée et tourner en rond dans la maison, finit par rejoindre sa mère dans le salon. Elle lui parla de Daito. Maryline l'écouta sérieusement décrire leurs balades sur la plage et chercher péniblement les mots justes pour lui expliquer la profondeur de leurs conversations. Georgia était aussi gauche et malhabile avec ses souvenirs qu'elle l'avait été autrefois avec ses poupées. Sans doute déçue par la réaction de sa mère qui ne lui posa aucune question, elle monta dans sa chambre sans insister.

Annick et son mari reprirent leur vie commune au fond de leur maison de hobbit dans leur village de paludiers, bon an, mal an, plutôt mieux car « l'autre » craignait William qui l'avait à l'œil. Annick gardait dans son cœur une concession à vie pour Osamo qui, dans ses rêves les plus fous et couvert de glycines brodées, l'emmenait vivre ailleurs.

William décida d'écrire son autobiographie tout seul « avant qu'un mal élevé ne le fasse à sa place ». Quelques jours après la rentrée, très excité par son projet, il annonça qu'il partait pour New York « se remettre dans l'ambiance ». Personne n'y trouva à redire. William et son overdose avaient épuisé d'un coup toutes les réserves d'inquiétude de son entourage et libéré Maryline du poids de ses responsabilités. Il avait survécu, il les enterrerait tous, disait-elle. Flag, plus ésotérique, pensait que son guitar hero avait le pouvoir de distraire la faucheuse, « une femme débordée qui n'avait pas souvent l'occasion de se marrer », théorie reprise telle quelle par Georgia qui aspirait à la sérénité à n'importe quel prix. Ledit Flag voulut accompagner William aux États-Unis mais celui-ci refusa. Maryline quant à elle ne proposa pas de l'accompagner car elle avait compris qu'il partait pour la laisser vivre. Ce qu'elle fit, avec Simon qui avait repris son rythme d'hiver entre rixes, trafics de drogue et cambriolages de villas.

Ils s'étaient vus en douce tout l'été, chez lui ou dans les criques après le départ des touristes. Simon rattrapait le temps perdu à toute vitesse, redoublait d'énergie et d'idées pour la séduire. Il négocia ses horaires au commissariat, retapa son voilier, acheta des meubles et un appareil photo. Il faisait des projets qu'il gardait pour lui car Maryline prenait parfois, au plus fort de leurs étreintes, un air effrayé qui l'inquiétait. Il rêvait d'un départ définitif du rocker puis doutait de l'avenir quand certains soirs, dans un silence de plusieurs heures, il fixait jusqu'au tournis son reflet dans la baie vitrée de son salon suédois. Fou d'amour et d'impatience, Simon finissait seul sur la grande plage et dépeçait jusqu'à l'os les moindres faits et gestes de Maryline pour ensuite s'en émouvoir, s'en inquiéter ou s'en émerveiller. Ensemble, Maryline et Simon parlaient beaucoup du passé comme si le présent, bouché, était impraticable. Il l'aidait à retrouver la mémoire, reconstituait son trésor en lui racontant tout ce qu'elle avait oublié. Puis ce fut elle qui ramena à la surface des moments qu'il avait laissés filer.

Maryline avait décidé de rendre à Simon tout le temps qu'il avait perdu à cause d'elle. William parti, elle se consacra presque entièrement à lui. Elle le laissa l'aimer passionnément sans se rendre compte du danger. Simon se consumait et elle mettait sur le compte de ses planques nocturnes ses coups de fatigue et ses coups de blues. Fin octobre, après un rendez-vous manqué et une dispute méchante, Maryline fit le constat amer que Simon bousillait leur histoire avec la même énergie qu'autrefois ses châteaux de sable. Incapable de vivre sans exiger sans cesse toujours plus de sens, de mouvement et de preuves, il épuisait Maryline qui ne savait plus quoi faire pour le rassurer. William présent ou absent n'y était pour rien. Elle l'aimait mais cela ne suffisait pas à Simon. Maryline la lente, qui avait besoin de temps et de silence, n'arrivait plus à respirer. Elle s'enfuit quelques jours à Paris, laissant Ker Annette à Flag et Georgia, et Annick en sous-main pour les surveiller. Elle marcha dans les rues et pensa à sa vie. Anonyme et tranquille, elle retrouva peu à peu sa sérénité et finit par admettre ce qu'elle savait depuis le début de l'été. Elle aimait William et Simon, et chacun à cause de l'autre. Elle ne quitterait jamais la comédie musicale de William, son toc strassé et ses ballets virtuoses. Simon était l'ange noir, brutal, addictif et dangereux qui avait installé le trio dans la dépendance et l'impasse.

À son retour, elle fit venir Simon à Ker Annette et, enfermés dans sa chambre, sans jamais lâcher sa main, elle lui expliqua avec toute la délicatesse dont elle était capable qu'elle ne quitterait pas William mais qu'elle voulait qu'il reste. Simon hurla. Il fracassa la vitre de son poing et se déchira un tendon. Le lendemain, il lui annonça qu'il avait donné sa démission et qu'il partait sur son bateau pendant quelques mois. Il suait le désespoir sous ses airs de crâneur. Maryline lui dit qu'elle l'attendrait, « chacun son tour », ajouta-t-elle. Les quelques jours qui précédèrent son départ furent une épreuve. Maryline s'obstina à les vouloir ordinaires et lui extraordinaires. Elle l'obligeait à être raisonnable, ce qu'il n'avait jamais été, ne serait jamais et tous les deux le savaient. Simon reviendrait le même et tout recommencerait. C'était ainsi que les choses devaient être, belles et difficiles.

Restée seule avec Flag et Georgia, Maryline surmonta l'absence de Simon en brassant de l'air. Les deux autres encouragèrent toutes ses entreprises car ils la sentaient au bord du gouffre et lui proposèrent de faire des travaux dans la maison. Dans la chambre de Georgia,

Maryline décolla des murs des épaisseurs successives de collages et trouva un tas d'indices sur le passé récent de sa fille. Elle se dit que les adolescents avaient l'étrange habitude de laisser partout des traces et qu'il était difficile de savoir s'ils le faisaient exprès ou s'ils étaient assez naïfs pour croire qu'on ne les trouverait pas. Ainsi, elle tomba sur une méthode de japonais en soixante leçons et, cachée sous son lit, une coupe que Georgia avait gagnée à l'open de ping-pong interécoles l'année précédente et dont elle ne s'était pas vantée.

Avec l'hiver, le vent déforma les sons et les humeurs. Tous les rires semblaient fous et les cris des hurlements. La pluie faisait des bulles à la surface de l'eau, la mer passa d'agitée à très agitée. Maryline n'avait pas de nouvelles de Simon qui devait sans doute se contraindre au silence. Elle pensait à lui et aussi à William qui la bombardait de lettres fleuves hilarantes, de mails pleins de douceur et de SMS en pleine nuit pour lui demander de congeler des cakes en prévision de son retour.

Mais Georgia déprimait en caleçon opaque sous ses shorts et elle exigea son père pour Noël. Plus lumineux que le sapin du salon, il revint triomphant et en terrain conquis avec dans les yeux assez de bonnes vannes pour les dix années à venir. New York lui avait restitué sa lumière et aussi la certitude que rien ne valait Ker Annette et ses occupants à l'année. Maryline hésita à lui parler de Simon, repoussa, repoussa encore les aveux face à un William chantonnant et champion du monde du non-dit. Elle opta pour l'instant présent dont lui avait parlé Osamo, au fond si confortable, et remisa la réalité pour plus tard. Flag, qui avait eu très peur que William ne reste à New York pour toujours, balança tous ses onguents, persuadé qu'il n'en aurait désormais plus besoin. L'humour de William, la reprise de ses rituels et ses chansons égrenées à propos redonnèrent en quelques jours le moral aux occupants de Ker Annette. Il parlait souvent de Herr qui lui manquait et se porta garant du souvenir de son ami qu'il se mit à citer dans les conversations comme un poète disparu. Osamo et Daito envoyèrent à Maryline un somptueux kimono brodé de glycines mauves qu'elle porta pour le réveillon de Noël. Le 31 décembre, on apprit la mort de Miss Merriman, une belle mort dans son sommeil et on ouvrit avec les Rival, Reine Personnic et quelques échoués du coin une bouteille de plus à sa mémoire. À minuit, on descendit bien couverts dans la crique et on sabla le champagne envoyé en guise d'excuse par les Verchueren, dans une enivrante odeur de varech, la seule mauvaise odeur qui sent bon, disait Flag momentanément en paix avec ses monstres. Face à la mer et la main sur le cœur, Maryline souhaita les yeux fermés une année douce à son amant absent. Puis on dansa dans le sable jusqu'au lever du jour, à l'endroit exact où Miss Merriman quelques mois plus tôt avait découvert le corps d'Elyne Folenfant.

Au panthéon de William Halloway :

Page 21 : *These boots are made for walking,* Nancy Sinatra.
Page 30 : *Too drunk to fuck,* Dead Kennedys
Page 51 : *Been smoking too long,* Nick Drake
Page 54: *Gimme Shelter,* The Rolling Stones
Page 57 : *The Needle and the damage done,* Neil Young
Page 57 : *Now I wanna sniff some glue,* The Ramones
Page 76 : *Constipation blues,* Screamin' Jay Hawkins
Page 78 : *Tubular Bells,* Mike Oldfield
Page 82 : *Why don't we get drunk,* Jimmy Buffett
Page 83 : *Goin' to Louisiana,* John Lee Hooker
Page 102 : *Are you experienced,* Jimi Hendrix
Page 157 : *Sexual healing,* Marvin Gaye
Page 157 : *I'm on fire,* Bruce Springsteen
Page 159 : *Wish you were here,* Pink Floyd
Page 176 : *Sunday Morning,* The Velvet Underground

10947

Composition
NORD COMPO

Achevé d'imprimer en Slovaquie
par NOVOPRINT SK
le 7 décembre 2014.

Dépôt légal décembre 2014.
EAN 9782290094280
OTP L21EPLN001661N001

ÉDITIONS J'AI LU
87, quai Panhard-et-Levassor, 75013 Paris

Diffusion France et étranger : Flammarion